JN065379

年収の9割は声で決まる！新装版

なぜ、「一流の人」は、みんな「いい声」をしているのか？

VOICE

秋竹朋子
Tomoko Akitake

清談社
Publico

はじめに
年収で2300万円の差をつけた経営者に共通する「声」とは？

はじめまして。

ビジネスパーソン向けボイストレーニングスクール「ビジヴォ」の秋竹朋子（あきたけともこ）です。

以前、一流企業の成績優秀者、いわゆる「トップ営業パーソン」ばかりを集めたセミナーに参加したことがあります。何人もの「できるビジネスパーソン」と話をさせてもらいましたが、**ものの見事に全員がいい声の持ち主。これは100%です！**

「本当に、いい声をされていますね。どうしてですか？」

私が質問をすると、その答えも異口同音で決まっていました。

「練習しましたから」

少し照れたように、声のトーンを落としながら語る口調からは、「あまり、いいたくはないんだけれど」というニュアンスも伝わってきました。

自分の武器をライバルに知られたくないという気持ちもあるでしょう。あるいは、人知れず努力していることを大きな声でいいたくないという、トップ営業パーソンとしての矜持がそうさせたのかもしれません。

各職業に適した声を身につけることが、ビジネススキルとしてすでに広く浸透している欧米と比べ、日本ではその認知度はまだ高くありません。

ただ、その一方、**声の持つ力、ビジネスの現場での有効性**に気づく人や企業も、少しずつですが増えているようです。

私がこれまでに指導してきたビジネスパーソンのなかには、東レ経営研究所特別顧問の佐々木常夫さん、博多一風堂創業者の河原成美さん、国会議員や大臣を務めた方といった、各業界のトップランナーも数多くいます。

仕事柄、有名企業の社長や社会的なリーダーと会う機会は少なくないのですが、トップ営業パーソンに負けず劣らず、みなさん本当に声がすばらしい！　短い時間お話ししただけで、その声に惹きつけられていくのを実感しました。

仕事はいろいろ、ふさわしい声もいろいろですが、一般的に**ビジネスシーンでは、「低音ボイス」がいい声とされています。**低い声には落ち着いた印象があり、威厳や力強さを感じさせ、何より「信頼」を生みやすい声だからです。

実際、企業のトップやカリスマ性のあるビジネスパーソンには、高い声より低音ボイスの持ち主の方が多いようです。

アメリカのデューク大学が792人の最高経営責任者（CEO）の男性を対象に、声の音程、年収、経営している会社の規模を調査したことがあります。

その結果、**低い声の持ち主は、そうでない人と比べて18万7000ドル（約2900万円）も年収が高いことがわかりました。**さらに、経営する会社の規模、トップの座にとどまっていた期間も、低音ボイスのCEOに軍配が上がったそうです。

そのほかのアンケート調査などでも、低音ボイスや「モテ声」の持ち主が役職、管理職につきやすいことや、「自分の声が仕事で有利に働いた」と感じている人が多いことなどがわかっています。**声のよさと年収の高さは、比例しているのです！**

「はじめまして」

初対面の相手にこうあいさつをするとき、みなさんは、どのようなことに気を使いますか？

服装や髪型、お化粧のノリなど、外見でしょうか。それとも、名刺の受け渡し方などのマナーに最も気を使いますか。

清潔感のある身なりや誠実さをうかがわせるマナーは、ポジティブな印象につながります。目の前にいる相手と良好な関係を築こうと思えば、どちらも疎（おろそ）かにはできませんね。

では、初対面の人と会話を交わし、別れたあとのことを想像してみてください。みなさんの頭に残っているのは、相手の服装やマナーでしょうか。

ビジネスの現場において、それらは強い印象として記憶には残りません。多くの人がスーツを着て、多くの人が先輩から教えられたとおりに名刺を受け渡すのですから、当然といえば当然の話。下手（へた）をすると、グレーのスーツを着ていたのか、はたまた紺だったのか、それすら思い出せないかもしれません。

普段の「初対面」を、あらためて思い出してみてください。相手の「個性」として記憶に残っているのは、「顔」、そして、**「声」**ではありませんか？

アメリカの心理学者、アルバート・メラビアンが提唱した「メラビアンの法則」というものがあります。「3Vの法則」「7−38−55ルール」とも呼ばれ、「V」は「言語情報（Verbal）」「聴覚情報（Vocal）」「視覚情報（Visual）」の頭文字、「7−38−55」の数字は、それぞれのパーセンテージを表しています。

メラビアンが行った検証実験によってわかったのは、初対面など相手の情報が少ないとき、人はどのような情報から影響を受けて、印象を決定づけるかということ。

会話の内容など「言語情報」から受ける影響は、たったの7%。声の質や大きさ、話す早さや口調などの「聴覚情報」からは38%。顔や表情、しぐさといった「視覚情報」からは、55%の影響を受けているのだとか。

表情やしぐさの影響が最も大きいのは予想どおりですが、**声や口調から約4割もの影響を受けて、相手への印象を判断しているのです。**

コミュニケーションにおいて、これほど大きな影響を与えているにもかかわらず、多くの人は、出かける前に鏡で身なりは整えても、「声」のチェックはしません。体調を崩さないよう注意はしても、喉の調子は整えません。

なんの意識もせず、普段どおりの声で、大事なビジネスの現場に臨んでいます。これは、とんでもないほど大きな「損失」を、知らず知らずに出しているのと同じことです。

声の使い方を知らないことは、大きな損失であるのと同時に、とても大きなチャンスだともいえます。

人より一歩でも抜きん出る、競争こそがビジネスの本質です。そんななかで、多くの人が「声」の重要性を認識できていない。いち早く気づき、**いい声を手にした人は、それだけでライバルに差がつけられる**ということです。

事実、できるビジネスパーソンは、声が大きな武器になることを知っています。ただ、わざわざライバルたちに教えはしません。

平穏や安定を求めるのが難しい時代。変化に対応し、みずから変革した者だけが生き残る。その傾向は、今後ますます強くなっていくでしょう。

わずかな時間で自分を変革し、ライバルたちに差をつけることができる。**「声」というビジネスツールをいまこそ手に入れて、驚きの年収アップを目指しましょう！**

年収の9割は声で決まる! 新装版

なぜ、「一流の人」は、みんな「いい声」をしているのか?

CONTENTS

はじめに　年収で2300万円の差をつけた経営者に共通する「声」とは？ …… 3

第1章 なぜ、「声」と「話し方」を変えるだけで年収が上がるのか？

◎ビジネスは「声」が9割！

「声トレ」を始めるきっかけとなった「出会い」 …… 20
ビジネスパーソンに多い声の「5つの悩み」 …… 24
「できる営業パーソン」だけが知っている声の重要性 …… 26
マスクによる情報不足は声でカバーできる …… 28
オンラインでも聞き取りやすい声とは？ …… 30

◎「声トレ」で年収が上がった実例集

説得力アップで年収が200万円アップした公認会計士 …… 32
面接に強くなり転職でステップアップした女性エンジニア …… 34
聞きやすい声で生徒が居眠りしなくなった大学講師 …… 36
呼吸のコントロールで株主総会で噛まなくなったIT社長 …… 38
「かれない声」でクリニックが大繁盛の眼科医 …… 40

声のトーンを変えて評価急上昇のコールセンターオペレーター 42
声帯老化の克服で新しい仕事も始めたフリーライター 44

第2章 「1日1分」、3つの「声トレ」であなたの声が生まれ変わる！

◎秋竹式「声トレ」とは何か？
一般的な「ボイトレ」とはここが違う！ 48
「声トレ」は最高のリターンが得られる「投資」 50
暮らしのなかでできる「1日1分」の「声トレ」習慣 52
いい声にするポイントは「呼吸」「滑舌」「発声」 54

◎「声トレ」であなたの人生が変わる！
発声を正せば「見た目」もよくなる！ 56
弱点が克服できれば「行動」も変わる！ 58
「声トレ」を始めれば「愛される人」になれる！ 60

◎トレーニングを始める前の準備運動
声がよく通る姿勢を保つ …… 62
リラックスして首、肩をほぐす …… 64
息を吐きながら胸、肩を開く …… 66
Column 1 ― 効率よくトレーニングするための声診断! …… 68

第3章 「1日1分」で声が生まれ変わる!「呼吸」トレーニング

◎「呼吸」トレーニングで声がよくなるメカニズム
声が出るしくみは「マーライオン」と同じ? …… 74
いい声に欠かせない「腹式呼吸」とは? …… 76
「腹式呼吸」の健康、美容への驚くべき効果 …… 78
◎暮らしのなかで気軽にトレーニング
1日1分「呼吸」の声トレ① 手のひらに「はぁ～っ」と息を吹きかける …… 80
1日1分「呼吸」の声トレ② 「脱力ため息」で「ロングトーン」をマスター …… 82

1日1分「呼吸」の声トレ③ 歩く速度に合わせて息を吐く …… 84
1日1分「呼吸」の声トレ④ 1日の終わりにリラックスして「丹田呼吸法」 …… 86

◎呼吸をコントロールすると筋肉が鍛えられる
1日1分「呼吸」の声トレ⑤ 朝は「凹凸（ペタポコ）」からスタート …… 88
1日1分「呼吸」の声トレ⑥ 息を吐きながらお腹をへこませる「ドローイン」 …… 90
1日1分「呼吸」の声トレ⑦ 声を安定させる「シー」 …… 92
1日1分「呼吸」の声トレ⑧ 「クレシェンド」でだんだん息を強くする …… 94
1日1分「呼吸」の声トレ⑨ 息を止めて腹筋を鍛える「ストップブレス」 …… 96
1日1分「呼吸」の声トレ⑩ ボクサー気分で「シュッシュッ！」 …… 98
Column 2 ─「呼吸」を変えて喉を痛めなくなった売れっ子コンサルタント …… 100

第4章 「1日1分」で声が生まれ変わる！「滑舌」トレーニング

◎「滑舌」トレーニングで声がよくなるメカニズム
世界的にも聞き取りにくい日本語を正しく伝えるには …… 104

滑舌は「舌」と「表情筋」の動き次第で変わる！…… 106
「表情筋」を意識すれば「いい笑顔」ができる …… 108
「たった1分」で滑舌は改善できる！…… 110

◎「舌」を鍛える基本のトレーニング

1日1分「滑舌」の声トレ① 鏡を見ながら「あっかんべー」…… 112
1日1分「滑舌」の声トレ② 硬くなった舌を引っ張って柔らかくする …… 114
1日1分「滑舌」の声トレ③「べーロべーロ」で舌のアンチエイジング …… 116
1日1分「滑舌」の声トレ④ 左右にまっすぐ舌を出して10秒キープ …… 118
1日1分「滑舌」の声トレ⑤ すぐに覚えられる「舌ならしフレーズ」…… 120

◎「表情筋」を鍛える基本のトレーニング

1日1分「滑舌」の声トレ⑥「うーわー」で表情筋をほぐす …… 122
1日1分「滑舌」の声トレ⑦ 左右の頬をぷくっと膨らませる …… 124
1日1分「滑舌」の声トレ⑧ 顔全体を刺激する「食いしばり&びっくり顔」…… 126
1日1分「滑舌」の声トレ⑨「キウイウキウキ」で口を正しく動かす …… 128
1日1分「滑舌」の声トレ⑩ 口角を上げて「にっこり」そのまま20秒 …… 130

Special Column ― 表情筋に効く！「宝田流マッサージ」……132

◎舌と表情筋を120％生かす応用のトレーニング
「読むだけ」で滑舌がよくなるフレーズ……136
早口言葉は「呼吸」で噛まなくなる……143
いい声の効果をさらにアップする「3つの笑顔」……146

Column 3 ―「滑舌」を改善して社内コンペに勝利した女性編集者……148

第5章「1日1分」で声が生まれ変わる！「発声」トレーニング

◎「発声」トレーニングで声がよくなるメカニズム
自分の声を録音し、仕事を意識しつつ聞いてみる……152
「単語の頭で息を吐く」だけで声は激変する！……154
「伝わらない声」はトーンを上げるだけで生まれ変わる……156
TPOで使い分けたい「3つの発声法」……158
「表情のある声」を出す抑揚のつけ方……160

「声を最適化」するテクニック……162
あいさつの「お」をしっかり発声して印象アップ！……164

◎楽しみながらトレーニングできる「〇〇発声法」

1日1分「発声」の声トレ① 吐く息を強くする「ホの三三七拍子法」……166
1日1分「発声」の声トレ② 声を美しく響かせる「マーライオン発声法」……168
1日1分「発声」の声トレ③ 喉が開きやすくなる「ゲンコツ含み法」……170
1日1分「発声」の声トレ④ 「大笑いスタッカート法」で単語の頭を強く発声する……172
1日1分「発声」の声トレ⑤ 「動物鳴きマネ法」で声の高さを自由自在に……174
1日1分「発声」の声トレ⑥ 「ジュリ扇ヒラヒラ法」で音程を上げ下げする……176

◎さらに豊かな声を出す「〇〇発声法」

1日1分「発声」の声トレ⑦ 声帯の振動を確認しながら鍛える「超ロングトーン法」……178
1日1分「発声」の声トレ⑧ 「バックブザー法」で息継ぎ上手に……180
1日1分「発声」の声トレ⑨ キレのいい「大雨強風法」で喉を鍛える……182
1日1分「発声」の声トレ⑩ 柔らかい声を出す「鼻つまみチェック法」……184
Column 4 ―「発声」を見直して「軽さ」を克服したIT営業マン……186

第6章 一流経営者が実践！ 13の「声テク」

◎いい印象をつくる7つの「声テク」

聞き取りやすい敬語表現は「サ行」がポイント …… 190
あいさつは「2音目」、自己紹介は「1音目」が重要 …… 192
プレゼンで声がかれる人はあごを少し引く …… 194
好感度が上がる「あいづちの小技」 …… 196
呼吸と発声で「相互共感関係」をつくる …… 198
「大きな声」と「小さな声」を使い分ける …… 200
いいプレゼンを生む「3つのテクニック」 …… 202

◎ビジネスのピンチを乗り切る6つの「声テク」

朝イチの会議を乗り切る「喉のストレッチ」 …… 204
緊張を緩和する「深呼吸ルーティーン」 …… 206
「接客7大用語」をマニュアル化する …… 208
あえてメリハリをつけないほうがいい場面もある …… 210
謝罪の場面は声で乗り切れる …… 212

部下を成長させる「理想の上司」の声 214
Column 5 | いい声と健康を保つ「喉ケア」もビジネスパーソンの常識 216
おわりに 「いい声」を最大限に活用するために大切なこと 218
参考文献 221
特別付録 秋竹朋子が実演! 動画でわかる「声トレ」 222

VOICE

第1章

なぜ、「声」と「話し方」を変えるだけで年収が上がるのか？

ビジネスは「声」が9割！

「声トレ」を始めるきっかけとなった「出会い」

この本と出会ってくれたみなさんに、まず私自身の「出会い」の話をしておこうと思います。

幼いころから音楽を学び、音楽専門の高校、音楽大学、大学院と、まさに私の青春時代は音楽一色。そうして身につけた技術や知識をもとに、19歳のころからは子どもたちに歌やピアノの指導もしていました。

そんな私が、一見、音楽とはかけ離れたビジネスパーソン向けのボイスレッスンに取り組むようになったのは、ひとりの男性との出会いがきっかけでした。

いまから、もう15年近く前のことでしょうか。あるビジネスの勉強会で知り合った男性経営者が、私に悩みを打ち明けてきました。

「僕は仕事で講演をすることが多いのだけど、しばらく話していると決まって喉がかれてしまうんだ。もともと声が通りにくいから、無理をしているのかもしれない。滑舌は悪いし、すぐ早口にもなってしまう。もっと説得力のある話し方にしたいからボイストレーニングにも通っているのに、なかなか成果が出なくてね」

そのときの私は、まだ「話す声」に特化した活動はしていませんでした。彼も具体的な助言を求めるというよりは、私が音楽の専門家で、とくに声楽を長く学んできたことを知って、世間話のような軽い気持ちで打ち明けたのだと思います。

実際のところ、彼の声はお世辞にもほめられたものではありませんでした。「トレーニングに通っているというのに、どんなことを教わっているんだろう」と、不思議に思ったぐらいです。

そこで私も軽い気持ちで、「あなたの声の出し方には、こんな欠点がある。**喉の使い方などを変えてみたら、もっといい声が出せるようになりますよ**」と簡単な指導をしました。

すると、みるみるうちに彼の声がよくなっていき、十数分後にはさっきまでとは段違いの、よく通る印象のいい声になりました。

お金と時間をかけてスクールに通っても、まったく直せなかった彼はびっくりです。

「やっぱり、音楽家の耳ってすごいんだね！　教え方もとてもわかりやすかった。これだけ教えるのが上手なんだから、ボイストレーニングのスクールを開いてみれば？」

実は、私がボイスレッスンの仕事を始めるようになったのは、これがきっかけなんです。勉強会で声の悩みを持つ男性と出会い、軽い気持ちでアドバイスをし、その結果として彼に背中を押してもらうことがなければ、いま、こうして声の指導を仕事にはしていなかったかもしれません。この男性が、いまの私の夫です。

子どもたちではなく、大人向けの声の指導。新たなチャレンジに乗り出した私がまず訪れた場所は、各地のボイストレーニング（以下、ボイトレ）のスクールでした。みずから体験入学することで、ボイスレッスンの方法を学びたいという素直な気持ちと、ビジネスでいうところの「市場調査」の目的もありました。

そこで得た感想は、「教え方が上手じゃないな」というものでした。のちの夫が「半年も通っているのに成果が出ない」と首を傾(かし)げていたのが、ようやく理解できました。教え方が抽象的で、ビジネスパーソンを対象としているのに、ビジネスに直結するようなレッスンを行っていなかったのです。

当時の私には、ボイトレスクール運営の経験はありませんでしたが、大学時代から子どもの音楽教室を自分でやってきた指導実績と、**声楽家として培ってきた発声のノウハウや、絶対音感を持つプロならではの鋭い聴力**がありました。

「これならいける！」

直感的に確信しました。少々生意気な言い方をすると、人が教えているところを見て、「私のほうがもっと上手に教えられる」という自信を得たわけです。

ただ、そんな私もスタートからトントン拍子だったわけではありません。生徒さん集めも兼ねて開いた初めてのセミナーでは思うような結果が出せず、その上、驚愕(きょうがく)の事実も知ることになるのですが、その話はまたのちほど……。

ビジネスパーソンに多い声の「5つの悩み」

スクールを始めてみて、自分の声に不満や悩みを持っている人が、本当に多いことがあらためてわかりました。

悩みの内容は人それぞれですが、定番といえるのが**「声が通らない」「聞き返される」「滑舌が悪い」「よく嚙む」「説得力がない」**の5つ。これが圧倒的に多い。

スクールに来るというのは、自分の声の欠点に自覚があるということです。あるいは周囲から指摘されて、できれば直したいと思っている。

実は、この時点で多くの人より、一歩前に進んでいるといえます。たいていの人は、自分の声に不満を持っていたり、嫌いだと感じていたりしても、声は、「生まれつきだから変えられない」「癖のようなものだから直らない」と諦めてしまう。

ところが、これが大きな間違いなのです。生まれたばかりの赤ちゃんの泣き声を想像してみてください。誰に教えられたわけでもないのに、あんなにも大きなよく通る声を出し、耳にした者の心に強く訴えかけてきますよね。また、力いっぱい泣いているのに、喉がかれるということもありません。それは、きちんと腹式呼吸をして、喉に負担のない声の出し方をしているからです。生まれつきというのなら、**もともとは誰もが正しい声の出し方をしていて、生まれながらに知っているのです。**

たしかに、悪い声の出し方は、間違ってしまった癖のようなものかもしれません。自我が芽生え、言葉を覚え、生まれたばかりのころのように、リラックスして、何も考えず、自然に声を出せなくなってしまった。それがいつからか習慣化してしまい、すっかり染みついてしまったんですね。

ただ、この癖は必ず直すことができます。何かの意識が邪魔をして正しく発声できなくなってしまったのなら、今度は正しい声の出し方をマスターし、意識して、繰り返し繰り返し体に染み込ませていけばいいのです。

歯並びや耳鼻咽喉の問題、あるいは病気などに起因しているものでない限り、**声の悪癖は100%直すことができます！**

私と一緒に正しいトレーニングを繰り返し、赤ちゃんのときにはできていた正しい声の出し方を覚え直しましょう！

「できる営業パーソン」だけが知っている声の重要性

悪い癖がついてしまった声の影響を、最も大きく受けるのがビジネスシーンではないでしょうか。声が通らない、聞き返される、滑舌が悪い、よく噛む、説得力がない。これらもすべてビジネスに直結するものばかりです。

通らない声は、どこか自信なげに聞こえてしまい、安心感や信頼感が生まれにくい。通らない声の持ち主は、営業職には向いていないかもしれません。

声の通りにくさも関係していますが、たびたび聞き返されてしまうというのは、話している内容がきちんと伝わっていないということです。当然、相手にはいい印象を与えませんし、交渉ごともスムーズに進まないでしょう。

滑舌が悪かったり、よく噛んでしまったりするようでは、プレゼンなどで十分な力が発揮できません。**適正な速度でスラスラと、よどみなく言葉が出てくる人の話は、重要なポイントもつかみやすいものです。**

話す言葉に説得力がない。これは、ビジネスではもはや致命的ともいえます。

もちろん、業種によって求められる声も変わってきますが、人と人が対峙(たいじ)する以上、そこにはコミュニケーションのツールが必要になります。数あるコミュニケーションツールのなかでも、とくに差が出やすいのが「声」なのです。

最近は、仕事のやり取りをメールで行うことも多くなりましたが、メールの文面はある程度定型化されており、個々の差や印象の違いは生まれにくいものです。しかし、声はどうでしょう。電話ひとつを取っても、少し言葉を交わしただけで、個別の印象を何かしら抱くはず。フェイス・トゥ・フェイスなら、なおさらです。

研修なども含めると、これまでに4万人近いビジネスパーソンの声を聞いてきた私の経験上、**仕事ができる人ほど声の重要性を認識しています。**そして、「いい声＝それぞれの仕事に求められる声」で話すために、努力や工夫(くふう)をしている。保険や不動産、金融のトップ営業パーソンたちを見ていると、声が通る、声がいい人が圧倒的に多いのです。

以前、一流企業の成績優秀者ばかりを集めたセミナーに参加したことがあるのですが、ものの見事にいい声の持ち主ばかりで、私も驚きました。

断言します。**「声」は、非常に重要な「ビジネススキル」です！**

マスクによる情報不足は声でカバーできる

人と人がコミュニケーションを取る際、声と同じように、とても重要な役割を担っているのが「表情」です。

喜んでいるのか、怒っているのか。元気なのか、体調が悪いのか。表情を使って多くの情報を発信し、また相手の情報をキャッチしながらコミュニケーションを深めていきます。ビジネスシーンにおいても、**仕事ができる人はもれなく表情の見せ方が上手で、相手の表情を読み取る能力にも長けています。**

しかし、2020年代に入ると、新型コロナウイルスへの対策として、フェイス・トゥ・フェイスのコミュニケーションには、「マスク」が必須になっています。これでは、表情から発信、受信できる情報の量はごくわずか。

こうした社会状況のなかで、きちんと気持ちを交わし合い、効率性を落とさず、トラブルなくビジネスを進めるためには、「声」や「話し方」がいっそう重要になります。

マスクによって表情が見えにくい状況での声の役割は、メールやSNS（ソーシャル・ネットワーキング・サービス）での「絵文字」の存在と似ているかもしれません。

メールやSNSなどのネットコミュニケーションは、とても便利な一方で、細かな感情が伝わりにくいという面があります。怒っていないのに不機嫌そうに映ったり、淡々とした文面が冷たい印象を与えてしまったりと、気持ちの行き違いが生まれてしまうことも。

各種の絵文字やネットスラングと呼ばれる独特な表現は、文字だけでは伝わり切らない喜怒哀楽を補ってくれます。もちろん、ごく細かな感情までは伝え切れませんが、文章のあとに「笑っている顔の絵」が入っているだけで、少なくとも好意的な反応であることはわかりますよね。

表情で気持ちを伝えられないのは寂しいことですが、**いまはマスク越しでも聞き取りやすく、感情が乗った声でそれを補い、コミュニケーションの質を落とさないことが大切。**

ビジネスの面から見れば、いま、この状況での声の重要性に気づいた人から、ピンチをチャンスに変えることができるといってもいいでしょう。

こんなときだからこそ、声はライバルに差をつけるための「武器」になるのです。

オンラインでも聞き取りやすい声とは？

2020年代のコロナ禍は、働き方そのものにも大きな影響をもたらしました。最も顕著な変化は、リモートワークやオンライン会議が増えたことでしょう。

私のスクールでも、ウェブ会議アプリを使用して、オンラインレッスンや企業研修を行っています。オンライン化されたことで、自分の声の聞き取りにくさや、滑舌の悪さに気がつき、トレーニングをするビジネスパーソンも増えました。

パソコンやタブレットの画面を通したオンラインでのやり取りは、マスクが不要なため、相手の表情もリアルタイムで見ることができます。

ただ、一方で「聞き取りにくさ」というオンラインならではのわずらわしさや不都合を感じている人も少なくないのではないでしょうか。

オンラインでは、じかに会って話しているときのような、クリアでダイレクトな声は伝わりません。また、周囲の騒がしさがスムーズな会話の妨げになることも。

これらの障害を少しでも減らしてコミュニケーションの質を高めるには、意識して伝わりやすい声を届ける工夫(くふう)や努力が不可欠。**通りのいい声（発声法）や滑舌はもちろんのこと、声の高さも聞き取りやすさに影響します。**

たとえば、一般的には信頼感を生みやすいとされる「低い声」も、ザワザワしているような場所では聞き取りにくくなります。周囲の音が気になる場所でオンライン会議に参加するときは、普段より少し高めの声を出すようにしましょう。

会話にタイムラグが生じがちなのも、オンラインならではのデメリット。パソコンの性能や通信速度が不十分だと、音声が一瞬途切れてしまうことも。そのたびに聞き返していたのでは、仕事の能率もガタ落ちです。

オンラインでのやり取りを円滑にするポイントは、会話の「速度」や「間(ま)」。いつもより少し速度を落として話せば、タイムラグが生じても聞き取りやすくなる。また、意識して間を取ることで、相手が話の内容を想像し、理解する時間ができます。

呼吸や空気を感じることができないオンライン会議では、発言が重なってしまいがちですが、ほんの少し間を取るようにすれば、相手の言葉を遮ってしまうことも減るはず。

一度に大勢の人と対峙することが多い政治家や企業の経営者には、この「間」の取り方がうまい人が多いですね。

「声トレ」で年収が上がった実例集

説得力アップで年収が200万円アップした公認会計士

ビジネスにおける声の重要性については、十分に理解していただけたはずです。

とはいえ、「声で印象が変わるのはわかるけど、わざわざトレーニングしてまで手に入れる必要があるの？」と、いまだ半信半疑な人もいるかもしれません。

その気持ちも理解できます。誰にとっても、時間とお金は大切。費用対効果、時間対効果で躊躇（ちゅうちょ）するのは、むしろ必要なことです。

もっとわかりやすい言葉でいいましょう。**声の欠点を直してコミュニケーションの質をアップさせると、ズバリ、年収がアップします！** いい声は、わざわざトレーニングしてでも手に入れるだけの価値があるのです。私のスクールでトレーニングをした人たちにも、声を改善して収入がアップした人、仕事をステップアップさせた人がたくさんいます。

昇格試験を控え、スクールに駆け込んできたのは、某大手監査法人に勤務する公認会計士の男性（30代）。この経歴だけでも優秀なビジネスパーソンであるのは間違いありませんし、本人も「仕事自体はできないほうではない」と胸を張っていました。

ただ、周囲には同じように優秀な人たちばかり。そのなかで一歩抜け出そうとするときに、何が自分に足りないかを考えた。そして、**上のランクで活躍している人たちが「いい声をしている」ことに気づいたそうです。**会計士の昇格試験では、プレゼン能力も審査されるので、やはり声の印象は大きいのですね。

彼の声はこもりがちで、聞き取りやすいものではありませんでした。それは本人も自覚していて、「自信がなさそう」「気弱」という印象にもつながっていたようです。

スクールでは、**発声法を変えて声を通りやすくするとともに、滑舌のトレーニングもしました。**もともと優秀な人なので、短期間で声のスキルを身につけ、数週間後には見事昇格試験に合格。この職階アップで、年収も200万円はアップしたそうです。

合格を知らせる連絡には、隠し切れないほどの喜びがあふれていました。

面接に強くなり転職でステップアップした女性エンジニア

ライバルより一歩でも前に出たいとき。単に仕事の能力を高めるだけでなく、**「どうすれば周囲に差がつけられるか」「どこにプラスαの力を注げばいいのか」**という発想は非常に大切。能力が拮抗(きっこう)している場合、能力の差を見せるのが難しい場合はなおさらです。

前項の公認会計士の男性はその点に気づき、声という欠点を克服しようと決めた時点で、すでにライバルより「半歩」分、前に進めていたともいえます。

転職や就職活動の「面接」も、まさにこの「大勢のなかから抜きん出る力」が求められる場面です。

人材採用の際、面接をしない会社はありません。しかし、面接や書類上の経歴で、現場での能力まで測るのは難しい。採用の可否には「印象」が大きく左右します。

事実、28社連続で面接落ちしていた新卒の男性は、レッスンを受けると一発で広告代理店の採用を獲得。のちに**面接官をしていた上司から「誰より声が明るくてよかった。これ**

は元気な子だろうなと思って、君に決めたんだよ」といわれたそうです。

発電所エンジニアの30代の女性は、転職に悩んでいました。ひとつ目に受けた企業で不採用になり、家族や友人に「なぜ落とされたんだろう?」と聞いてみたところ、「声が暗い」といわれたそうです。

実は、それまで勤めていた会社はいわゆるブラック企業で、仕事で追い詰められた末、彼女はうつを患ってしまいました。自信を失い、前向きになれず、「自分のことが嫌い」とまでいっていました。自信がない人に多いのですが、彼女も呼吸が浅く短く、抑揚のない声になっていました。

レッスンでは、**単語の頭でしっかり息を吐く発声法を練習し、話すときの「笑顔」も指導しました。**もともと頭がいい人なのでしょう。数時間のトレーニングで明るくはっきり話せるようになり、翌週に面接を受けた企業は見事採用。かつての勤め先より数段有名な一流企業です。「給料もかなり上がった」とうれしそうに話していました。そのころには**心身ともに自信がよみがえり、なんと、うつも克服できたとの報告を受けました。**

声というのは、「自信」とも密接に関係しているのですね。

聞きやすい声で生徒が居眠りしなくなった大学講師

自信に満ちた声に惹きつけられるのは、どのような立場や関係でもいえること。**予備校の人気講師はいい声の持ち主ばかり。**声が「収入」に結びついている好例ですね。

自分の話を聞いてもらうことがビジネスに直結している人にとって、声は最大の武器になりますが、逆に最大の弱点となる場合も。

ある大学の先生も、「授業中に生徒が寝てしまう」と、私のところに相談にやってきました。話してみると、癒やし系のとても魅力的な声をしています。しかし、授業でもそのままの声では、「集中して聞いてもらう」ためには向いていないと感じました。間の取り方も悪く、抑揚もないため、聞いていると眠気を感じてしまうのも無理はありません。

そこで、**単語をひとつずつはっきり発音するトレーニングに加え、声のボリュームを変えたり、身振り手振りを使って訴えかけるように話したりする練習をしてもらいました。**

たくさんのことをマスターしなければならなかったので大変だったと思いますが、成果はすぐに表れました。授業中に寝てしまう生徒がいなくなったのです。講師への評価を測るアンケートでも、「以前より格段に聞き取りやすい」「話に惹き込まれて授業がおもしろくなった」という声が多かったそうです。

企業の管理職も、「聞いてもらう」スキルによって自分自身への評価が変わります。当然、収入にも影響するでしょう。

私のスクールにきた某大手企業に勤務する40代の商社マン。彼も管理職に昇進した際、上司から「お前の声は聞き取りにくいし軽い印象があるから、なんとかしたほうがいいぞ」と注意されたのだとか。

肝心なところでモゴモゴと不明瞭になる癖があり、声の音程も高い。上司の指摘どおり、これでは数十人の部下の前で大切な話をしたり、威厳を持って指導をしたりするのは難しい。ただ、管理職になっていることからも、仕事ができるのはたしか。あとは**呼吸、発声、滑舌のトレーニングをして声を変える**だけです。

半年後、「話を聞く部下の表情が変わった」「上司からの評価も上がったように感じる」とのメールをもらいました。こうした喜びの声が、私自身のいちばんの喜びにもなっています。

呼吸のコントロールで株主総会で噛まなくなったIT社長

お笑い芸人さんのやり取りを見ていると、少し言葉を噛んだだけでツッコまれる場面がたびたびありますね。実は、ビジネスにおいても同じような状況があります。

もちろん、芸人さんたちのように「いま、噛んだ？」などとはやし立てるようなことはしませんが、**重要なプレゼンや交渉をしている最中に何度も噛んでいると、聞いている相手は「この人、大丈夫かな？」という不安感を抱いてしまう。**言葉は少し悪いのですが、「ナメられる」といってもいいかもしれません。当然、聞き取りにくさから要件が伝わりにくいという難点もあります。

芸人さんならば、噛んだことを「笑い」という成果につなげることもできますが、ビジネスパーソンにとっては、何ひとつメリットはありません。

あるとき、某ＩＴの上場企業の秘書の方から依頼を受けました。

「弊社の社長の話し方をなんとかしてほしい」

くわしく聞くと、その企業の社長はとにかく早口で、滑舌も悪いので話が聞き取りにくい。このような話し方では、企業のトップとしての威厳が保てない。株主総会でも株主たちに不安感を与えかねないので、もっと安心感や信頼感を抱かせる話し方ができるようにならないだろうか。そういった内容の相談でした。

若くして成功した非常に優秀な社長で、テレビなどへのメディア出演も多い。しかし、そのたびに噛みながら早口でまくし立てるので、「テレビに出れば出るほど印象が悪くなってしまう」と、本人より周囲の社員が心配していたのです。

頭のいい人には、早口な人がとても多い。頭の回転がものすごく速いので、思考は次々あふれてくるのに言葉が追いついてこない。結果、聞き取りにくく、焦っているような話し方になってしまう。早口で噛みまくりだと、聞くほうも落ち着かないですよね。

声の通りはよく、決して悪い声ではなかった。そこで、**滑舌をよくすることをメインに、呼吸のコントロールを心がけて早口にならないようにするトレーニングをしました。**

しばらくして、テレビ出演されているのを見たところ、早口はかなり改善されており、トレーニングしたことをしっかり意識して話しているのがわかりました。

いい声や話し方をマスターするためには、意識することが何より大事!

「かれない声」でクリニックが大繁盛の眼科医

声の印象というのは、意外な職業にも関わっています。実は「病院」もそのひとつ。**先生や受付の人の声が、訪れる患者さんの数に大きく影響するのです。**

町の病院を利用する際、ネット上の「口コミ」を参考にする人は多いでしょう。そうした口コミ情報というのは、医師の技術や知識で評価されているでしょうか？　一般の人が医療技術などを判断できるはずもありません。ほとんどは、印象が良いか悪いかで評価されているはずです。

私が住む地域は子どもが多いこともあり、どの病院も常に込んでいます。そのなかで、1軒だけいつもガラガラな病院がある。口コミを見ると、やはり「先生が無愛想で怖い」「受付の人の話し方が冷たい」「呼び出しの声が暗くて小さい」など、印象の悪さを指摘する情報が並んでいました。

大阪の医療法人敬生会「フジモト眼科」というクリニックで院長をしている藤本雅彦先生という方がいます。私の友人で、人当たりもよく、医師としての実績もすばらしい方なのですが、彼も「声」の印象で損をしていました。

医師というのは、病状や治療の説明をしたり、次の患者さんを呼び込んだりと、一日中喉を使っています。彼も「喉がかれて仕方がない。痛くてつらい」とこぼしていました。

ガラガラ声では患者さんも聞き取りにくいので、聞き返す。大きな声でいい直し、さらに声がかれるという悪循環。聞き返したり、聞き返されたりというやり取りは互いにストレスになるので、印象も悪くなります。

彼は「職業病のようなものだから仕方がない」と半ば諦めていましたが、これが大きな間違い。一日中喉を使っても、正しい使い方をしていれば、声はかれません。

彼の場合、とにかく呼吸が浅かったので、**腹式で深く呼吸しながら声を出す練習を中心にトレーニングしました。**結果、喉はまったくかれなくなりました。

クリニックのスタッフも変化に気づき、「先生、すごくいい声になりましたね」と。そこで、スタッフにも研修としてボイトレを受けてもらったところ、スタッフ全員の声の印象が数ランクは上がりました。

その後、彼のクリニックはますます繁盛していらっしゃり、院長をはじめ、スタッフ全員の声の印象がよくなったのも、無関係ではないと思っています。

声のトーンを変えて評価急上昇のコールセンターオペレーター

電話応対ひとつで、会社全体の印象が決まってしまうことは少なくありません。

面と向かって会話しているときは、表情や動きでも気持ちを伝えることができますが、電話では「声」が唯一の接点であり、唯一の表現手段。電話越しにいくら深くうなずこうとも、声で伝えなければ、相手は「反応がない」と受け取ってしまいます。

また、普段と同じトーンで話しているのに、「愛想がない」「雰囲気が暗い」という印象を与えることも。**電話での感情表現は、少しやりすぎなぐらいがちょうどいい。**

電話応対のプロといえば、コールセンターのオペレーター。その分野のスペシャリストであるはずの彼女たちでも、顧客からクレームを受けることがあります。

それらのほとんどは、応答の内容に対する不満ではなく、「気持ちがこもっていない」「声の感じがいやだった」「話し方がけんか腰で気分が悪くなった」といった感情的な問題です。

多くのコールセンターでは、話す内容や言葉づかいは教えても、声の出し方まではトレーニングしていません。私からすると、とても不思議な話です。

もちろん、声の重要性と企業イメージへの影響に気づき、オペレーターにボイトレを受けさせる企業もあります。最近ではＡＩ（人工知能）の発達により、オペレーターの音声認識率を上げて、経費節約のために導入する企業も多くなりました。

某大手金融機関のコールセンターの研修では、**「2〜6音の単語で区切り、息をたくさん吐きながら話す」「常に口角を上げ、声のトーンを上げる」「質問する際は語尾をきちんと上げる」「共感して聞こえる速度」**などのトレーニングに加え、オペレーターごとに印象が変わらないよう、話し方のスキルを均一にすることを心がけてもらいました。

コールセンターの応対品質を調査する「ミステリーコール」というものがあります。覆面調査員がお客さんのふりをして電話をかけ、さまざまな項目をチェックするのです。

先ほどの金融機関のコールセンターは、ミステリーコールをもとにしたコールセンターランキングで8位でした。しかし、**40人ほどのオペレーター全員にボイトレを受けてもらったところ、見事2位にジャンプアップ！**

ここまではっきりした成果が出ると、私やスクールのトレーナーたちも、がんばって指導した甲斐があるというものです。

声帯老化の克服で新しい仕事も始めたフリーライター

年齢を重ねれば、誰しも肌にシワができ、体力も衰えていく。それが自然の摂理。一方で、いつまでも健康で美しくありたいと願う気持ちも、ごく自然なものです。ただ、若さや美しさを保つため、肌や筋力のアンチエイジングに励む人は多いのに、声の老化を気にする人が少ないのはなぜでしょう？

喉の奥、気管の手前にあり、２本の筋肉のようなものと、粘膜のようなものでできている「声帯」。この声帯が開いたり閉じたり震えたりして「声」を出しています。**肌や筋肉と同じように、声帯も老化で衰えます。**本来は隙間なく閉じる声帯が、老化で細くなると、きちんと閉じずに隙間があいた状態で震える。高齢者の声がかすれたり、しわがれたりするのはこのためです。

声の老化は45歳を過ぎたころから表れ始め、男性より女性のほうが早く老けるといわれています。声が老けていると、実年齢より10歳近く上に見られてしまうことも。

声帯自体は純粋な筋肉ではないので直接鍛えることはできませんが、**声帯を動かしている周囲の筋肉を鍛えることはできます。**アニメの声優さんが、高齢になっても若者のような声を出せるのも、日々喉を使うことでアンチエイジングに励んでいるからこそ。

警察官と新聞記者を経て、フリーライターになったKさんも声帯の老化に悩んでいました。実は、拙著『秋竹朋子の声トレ！　一瞬で魅了する「モテ声」と「話し方」のレッスン』（ワニブックス）の制作を手伝ってくれたライターさんなのですが、本をつくるにあたって私のトレーニングメソッドを聞き、実際に体験しているうちに、**正しい呼吸や発声をすっかりマスターしてしまい、悩んでいた声帯老化が改善。よく通る若々しい声を取り戻したのです。**

声帯老化を克服して自分の声が好きになった彼女は、人前で声を出して話すことまで楽しくなり、その勢いで日本語講師の資格まで取ってしまいました。

Kさんはいま、ライターと日本語講師の二足のわらじで稼ぎまくっています。

声がよくなったことで前向きになり、新しいことにもチャレンジしたくなった。**声が変わると、人生が変わるのです！**

VOICE

第2章

「1日1分」、
3つの「声トレ」であなたの声が
生まれ変わる！

秋竹式「声トレ」とは何か？

一般的な「ボイトレ」とはここが違う！

「ボイストレーニング」「ボイトレ」。日本では、多くの人が「ボーカルレッスンの一環として行う基礎トレーニング」という認識を持っているのではないでしょうか。また、「歌手や役者など、声を使う芸能人のためのもの」というイメージも強いはず。

しかし、海外では、ボイトレは「歌う、演じる」ためだけでなく、「話す」ためにも行うものというとらえ方が一般的。

アメリカの歴代大統領は、一国のリーダーにふさわしい説得力のある声を身につけるため、「プレジデント・ボイストレーニング」を受けているといいます。

イギリス元首相のマーガレット・サッチャーは、もともと甲高い声の持ち主でしたが、ボイトレを受けて威厳のある低い声をマスターしたというエピソードが映画『マーガレット・サッチャー　鉄の女の涙』にも描かれています。

歌うため演じるためのボイトレも、話すためのボイトレも基本は同じ。正しい呼吸法や姿勢をマスターし、「いい声」を「体に負担なく」出すことがベースになっています。

この基礎的なトレーニングを、より実生活に、とくに「ビジネス」に役立つようにアレンジしたのが、これまで延べ４万人に指導してきた秋竹式の「声トレ」です。

「発声のしくみを知り尽くして考案されている。医学的理論にもかなった非常に合理的なトレーニングです」（東京医科大学病院耳鼻咽喉科教授・渡嘉敷亮二氏）

「音声分析の結果、トレーニング後は、明らかに人の耳に聞こえやすい数値に変わりました」（東京工科大学メディア学部メディア学科教授・相川清明氏）

耳鼻咽喉科の医師や音声工学の専門家にも認められている「声トレ」のメソッドを十二分に活用し、あなたもいい声を手にしてください！

「声トレ」は最高のリターンが得られる「投資」

「頭ではわかっているけれど、なかなかはじめの一歩が踏み出せない」

「せっかく始めたのに、成果が出る前にやめてしまった」

そんな経験は、誰にでもあります。

たとえば、健康維持やダイエットに適度な「運動」が効果的なのは間違いありません。けれど、「忙しくて時間がつくれない」「ジムに通うお金がもったいない」「そもそも運動が苦手」などの理由で、運動を習慣にできなかった人は多いのではないでしょうか。

「声トレ」を始められない、または続けられずにやめてしまう理由も、この「時間」「お金」「運動」の3つがほとんど。

私のスクールで体験レッスンを受けた人にも、「とても参考になりました。ただ、いまは時間やお金の折り合いがつかないので、前向きに検討させていただきます」と、本格的なレッスンに至らなかったケースは少なくありません。

ダイエットや「声トレ」に限らず、**何かを「始める」「学ぶ」というのは、自分に対する「投資」です。**時間やお金、運動などの労力を自己投資するのです。

投資である以上、リターンを求めなければ意味がない。リターンを必要としないのなら、それは自己投資ではなく、ただの「自己満足」です。

私のメソッドでボイトレを行った4万人の、声の改善率は99％。病気などの事情がない限り、ほとんどの人がリターンを得られているといっていいでしょう。

「声トレ」という投資のリターンは、「いい声」だけにあらず。収入や仕事の成績アップ、つまりは「金銭的なリターン」も大いに期待できます。

「声トレ」には、苦しいダイエット法のような我慢は必要なし。資格取得のために、睡眠時間を削って勉強することもない。ましてや自己啓発やカウンセリングで「自分を変える」といった難しい話でもない。

ダイエットに励むより楽に印象を変えることができ、資格取得より手っ取り早く仕事に役立てられる。声がよくなると、自然に自信もつきます。**「声トレ」投資のリターン率は、「元が取れる」どころではありません。**

暮らしのなかでできる「1日1分」の「声トレ」習慣

時間、お金、運動。「声トレ」の前に立ちはだかる3つの壁。

つまり、この3つの障壁をできる限り取り除けば、より多くの人が「声トレ」に取り組めるようになり、仕事に役立ついい声を手にすることになります。

そこで本書では、私がこれまでスクールや研修で指導してきた「声トレ」のメソッドを、読者のみなさん一人ひとりがそれぞれ行えるようにブラッシュアップ。**短い時間で、お金をかけず、苦しい運動なしでできる**ようなものに新たにまとめ直しました。

通勤途中に行えるものや歯磨きしながらでもできるものなど、普段の生活のなかに取り入れられるメニューもたくさん用意しています。

また、ほとんどのトレーニングが「**1分間**」を目安に、ごく短時間で行えるものになっているため、気が向いたときや仕事の合間など、いつでもすぐに実践できます。

「**しながら**」「**合間に**」「**これだけで**」

これで、3つの壁をぶち壊します！

普段の暮らしのなかでできるので、ビジネスパーソンだけでなく、家事や子育てで忙しい主婦にもぴったりです。

声の印象を最適化させて仕事の成果アップにつなげる「声トレ」ですが、子どもを持つお母さんたちにも、ぜひ取り組んでもらいたい。

実は、いじめられる子どもには、「声が小さい」「滑舌が悪い」「呼吸が浅い」などの声の共通点があるように感じています。

子どもの話し方というのは、親、とくに母親の影響がとても大きい。私は子どもの発語、発声の教室もしており、当然、お母さまとも話すことになるのですが、うまく話せない子どものお母さまは、やはり声の出し方がうまくない人が多いようです。

親の声や話し方がよくなると、読み聞かせの伝わり方も正確で豊かなものになる。正しい発語を覚えるのはもちろん、より豊かな情操を育むことにもつながるはず。

勉強をさせるだけでなく、みずからの声や話し方からも学ばせるのが、本当の「意識高い系」の親なのだと思います。

いい声にするポイントは「呼吸」「滑舌」「発声」

日常生活のなかで、手軽に、かつ効率よくトレーニングができるよう、声を出すときに意識すべき重要なポイントで、本書の構成を3つのパートに分けました。

第1のパートは「**呼吸**」。「声が通りにくい」「すぐに喉がかれる」といった悩みを持つ人は、「お腹（なか）」を使った正しい呼吸法ができていないのかもしれません。

続く第2パートは「**滑舌**」です。滑舌が悪いと、聞き取りにくさや説得力不足につながるだけでなく、あらゆることに自信が持てなくなってしまう場合も。

3つ目のパートは正しい呼吸と滑舌に声の成分を乗せて響かせる「**発声**」です。より実践的でビジネスにも活用しやすいトレーニングになるでしょう。

呼吸、滑舌、発声。この3つのパートそれぞれに、**1分間を目安にしたトレーニングメニューを10項目ずつ用意しました。**

1日に行う「声トレ」は、各パートから1項目ずつピックアップして計3項目。つまり、

「声」を決定づける3つの要素

発声
シーンに合わせて大きさや音程、速度を調節すれば、声はもっと豊かに

滑舌
滑舌をよくするためには、舌の動きだけでなく、表情筋の働きも重要

呼吸
胸で呼吸をしたり、呼吸が浅くなったりすると、通りにくく小さな声に

1日に必要な時間はジャスト3分。「1日3分だけ」と考えれば気軽に始められますし、途中で面倒になることもありません。

もちろん、「そんな少しずつじゃ物足りない」という人は、各自で取り組む項目を増やしてみてください。ただし、生活や仕事の負担にならない範囲で。

また、「呼吸と発声には自信がある」という人なら、滑舌に絞ったトレーニングメニューにしても構いません。それなら**「1日1分」でも大丈夫！**

ピックアップする項目は、「はじめから順に」「苦手な項目だけ」などはもちろん、**「なんとなく気になったもの」でもOK！**

まずはスタートすること。そして、「声トレ」の効果を少しでも実感することが大切です。

「声トレ」であなたの人生が変わる！

発声を正せば「見た目」もよくなる！

「声トレ」の効果は、声や話し方、年収アップだけではありません。あなたの「見た目」まで変えてしまいます。

声が小さい人は、比較的太りやすい傾向にあります。話すときに腹式呼吸がちゃんと使えていないため、エネルギーの代謝効率が悪いのです。

私は日ごろほとんど運動をしません。しかし、どれだけ食べても、まったく太りません。子どもを産んだときも、出産の7日後からボイトレの仕事に復帰したら、その後の2週間で体重が元どおり。それもこれも、スクールや研修で毎日レッスンをしているおかげ。「声トレ」のお手本として、腹式呼吸や息をたくさん吐くトレーニングを実践している点はもちろんですが、地声が比較的高い私は、相手の聴覚に届く、通りやすい声を出すために、話すときにもお腹から声を出すよう常に意識しています。これだけでも、**インナーマッスル**（90ページ参照）**が鍛えられ、相当な量のカロリーを消費するのです。**

スクールの生徒さんにも、「声トレ」のダイエット効果を証明してくれる人が大勢います。

あるOLさんは、40代になって少しずつ太り始め、若かったころのように簡単に体重が落ちなくなっていたそうです。ところが、「声トレ」のレッスンに通い始めたら、みるみるうちにウエストのサイズがダウンし、表情筋を使ったトレーニングの効果で顔のたるみまで消えてスッキリ小顔に。

「声トレ」によるインナーマッスルへの刺激は便秘解消にも効果的で、肌がきれいになるといううれしいメリットも。いい声を手に入れると、いい見た目もれなくついてくる！

OLさんの変化には、続きがあります。それまでは体型を隠すような暗めの服ばかりを着ていたのに、明るい色の服を好んで選ぶようになり、ヘアスタイルやメイクも今風のスタイルを取り入れるようになりました。さらに恋愛にも積極的になり、男性からもモテるようになりました。**まさしく「変身」ですね。**

弱点が克服できれば「行動」も変わる！

ボイトレスクールを訪れる人、あるいはレッスンを受けてみたいと思っている人は、何かしら声や話し方の悩みを持っています。なかには「自分の声が嫌い」と、人前で話すことにまで消極的になっている人も。

何度でも繰り返しますが、声は誰でも変えられます！　**声の悩みで自分にブレーキをかけてしまうなんて、もったいない。**

スクールでいい声を手に入れた人たちはみな、初めて相談にやってきたときと表情がまったく違います。たった30分のレッスンでも声が変わるので、笑顔になります。これまでは「弱点」「欠点」だと思っていたものが、自分の長所になり、仕事でも大きな武器となるのだから、これほど「自信」につながるものはありません。

自信がつくと、何が変わるか。「行動」が変わります。

威厳のある低音ボイスをマスターして、部下とのコミュニケーションが円滑になった管理職男性。声帯老化を克服し、二足のわらじで日本語講師を始めたライター。声も見た目も変わり、ファッションアイテムの幅が広がったOL。

みなさん、声をきっかけに新たな自信を持ち、前向きな感情とともに視野を大きく広げ、行動力をアップさせています。

変わった自分を試してみたい。何かにチャレンジしたくなるのです。

こんな人もいました。静岡在住の女性看護師さんは「話を頻繁に聞き返される」のが悩みでした。静岡から東京まで毎週熱心に通われて、見事、声の悩みを克服。すっかり自分の声が好きになって、今度は「歌」にも興味を持つように。私の紹介でオペラのレッスンを受け始めた彼女は、いまは地元・静岡で発表会にも出ているそうです。

生徒さんと一緒にトレーニングをし、**声だけでなく生き方まで変えていく生徒さんたちを見ていると、「私の仕事は、自己肯定感のお手伝いだ」とよく思います。**

もちろん私自身は、声や話し方の指導をしているだけなのですが、結果的に自己肯定のお手伝いをしているのかと思うと、自分のことながら「素敵な仕事をさせてもらっているなぁ」と、とても幸せな気持ちになります。

「声トレ」を始めれば「愛される人」になれる！

声が変わり、見た目が変わり、行動が変われば、当然の結果として、周囲からの反応にも変化が表れます。

「重要なプレゼンに起用されるようになった」
「どこか上の空だった部下の目つきが変わった」
「お客さんと笑顔で話す時間が増えた」
「学会発表で声がいいとほめられた」

本書では、こうしたビジネスシーンでの効果を主に取り上げていますが、プライベートで「声トレ」効果を感じることも多いはず。

ズバリ、声が変わると、モテるようになります！

もちろん、声の好みは人それぞれ。また、恋愛の条件に「いい声」を挙げる女性は多くはないかもしれません。しかし、無意識も含め、声が異性の印象に大きな影響を与えているのは間違いありません。

声が変わると人生が変わる!

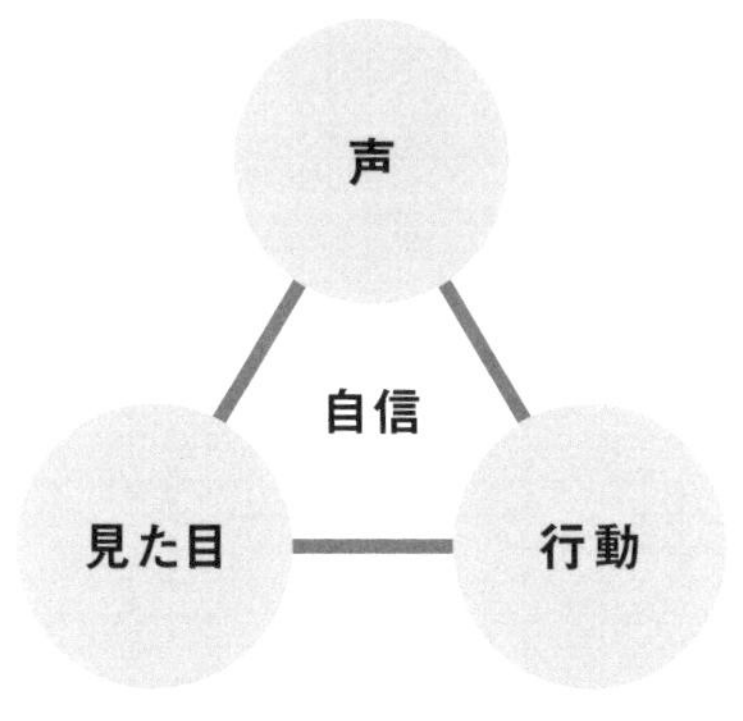

試しに、誰でも構いませんので「異性にモテる芸能人」のトップ3を思い浮かべてみてください。見事に全員が「いい声」の持ち主ではありませんか?

実際、恋愛における声の重要性に気づき、婚活や恋活の一環として、私のスクールの門を叩く人は男性女性ともに増えています。

いい声を手に入れる目的も人それぞれ。せっかくトレーニングをするなら、仕事に恋にと欲張りになってもいいと思います。

声を変え、自分を変え、人生を変えるために必要な時間は「1分間」。まずは、この1分間のなかだけでいいので、新しい自分に生まれ変わってみましょう!

トレーニングを始める前の準備運動

動画Ⓐ
（P222参照）

声がよく通る姿勢を保つ

よく通る、聞き取りやすい声を出すために、まずは姿勢を見直しましょう。

体は声を響かせる「楽器」です。正しい姿勢が取れていないと、気持ちのいい音を奏でることはできません。左のページの「No Good!」のように、あごが上がっていたり、腰が落ちていたり、体が斜めに傾いたりしていませんか？　男性に多いのですが、お腹を前に出したり、胸や背中を反り返らせたりするのもNGです。

おへその下3センチぐらい（86ページ参照）**に重心を置き、上半身の力を抜いた状態で、お尻、肩、頭が一直線になるのが正しい姿勢。**頭のてっぺんから伸びた糸で、自然につられているようなイメージを持つといいでしょう。

声がよく通る姿勢とNG姿勢

座り姿勢も立ち姿勢も、背すじをまっすぐ立てるのが基本。ただし、猫背を直そうとするあまり、胸を反り返らせるのはNG。呼吸の通り道である気道が狭くなり、喉に負担をかけてしまいます。意識しなくても、正しい姿勢がキープできるようになればベスト!

- 背中が反りすぎている
- お腹を突き出している
- ひざが曲がっている

- あごが上がっている
- 背中が丸まっている
- 腰が落ちている

- 背すじは一直線で猫背に注意
- 上半身はリラックス
- あごは地面と平行に

- 腰を立てる
- 背もたれに寄りかからない
- お尻から頭までまっすぐ

リラックスして首、肩をほぐす

動画Ⓑ
（P222参照）

正しい姿勢を覚えたら、次は**簡単なストレッチで体をほぐしましょう。**トレーニング前に準備運動が必要なのは、スポーツやジムでの筋トレなどと同じです。ストレッチをすると、声を出すために必要な筋肉がほぐれてリラックスできるのと同時に、骨格が正しい位置に矯正され、いい声を響かせやすい体になります。

まずは首を左右に回します。頭の重みを使って、力をかけずにゆっくりゆっくり。首や肩周りをほぐすと、大きな声が出るようになります。

次は、肩に力を入れてギュッと上げ、1〜2秒キープしたのちに、力を抜いてストンと下ろす。これを繰り返します。

首回しと肩の上げ下げ、どちらも肩こり解消に効果あり。ストレッチ後は気分もスッと軽くなるので、**「声トレ」の前だけでなく、仕事や家事の合間にもおすすめです。**

首回し

できるだけリラックスして、ゆっくり回すのがポイント。肩が上がっていたら、余計な力が入っている証拠。もっと力を抜いて、頭の重みで自然に回るように、ゆっくりゆっくり……。

肩の上げ下げ

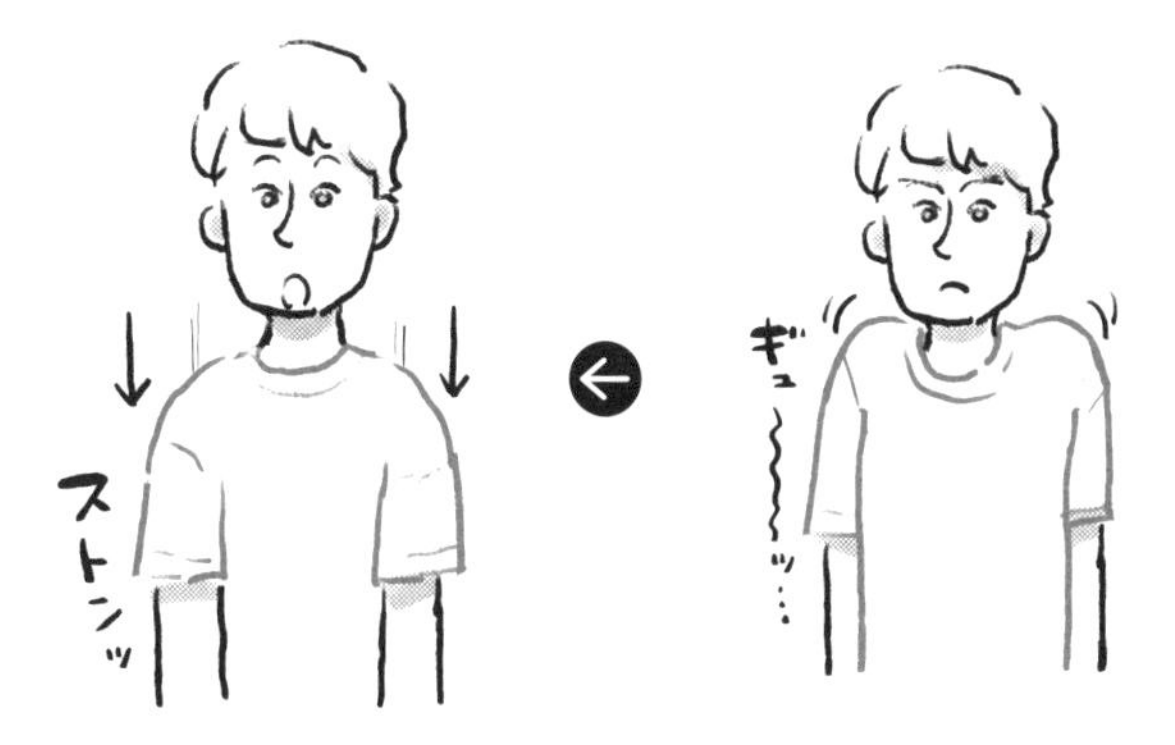

肩を耳につけるようなイメージで、ギュ〜ッと上げてストン。下ろすときは、力で肩を下げるのではなく、脱力して自然に落下させましょう。肩の凝りまでストンと落ちてしまうようです。

息を吐きながら胸、肩を開く

私たちの普段の生活では、パソコン作業や家事などで、どうしても姿勢が前に傾きがちになってしまいます。

前方に縮こまっている上半身の骨格をゆるめ、胸や喉の器官を働きやすくし、響きのある声が出るようにするのが、次のストレッチです。

最初は、**息を吐きながら胸を開くストレッチ**。左のページのイラストのように、手のひらを上に両手を胸の前でクロスさせ、息を「ハッ」と吐きながら、勢いよく腕を後ろに引いて胸を開く。これをリズムよく10回、手を入れ替えて10回。

次は、後ろでつないだ腕をグッと引っ張り上げ、その状態でゆっくり首を回します。先ほどの首回しを、胸と肩を開いて行うイメージ。

最後に、腕を思い切り後ろに引っ張って胸を開きながら、息を深く吐きます。

これで、「声トレ」前のストレッチは終了。上半身がほぐれ、心地よくなったはずです。

息を吐きながら胸を開くストレッチ

① 胸の前で手をクロスさせ
息を吐きながら両手を開く

「ハッ」と息を吐くときは、喉や胸ではなく、お腹で吐くように意識して。

② 後ろで両手を引き上げつつ
力まず首をゆっくり回す

腕を後ろに引っ張り上げる力が入る分、首にも力が入らないよう気をつけて。

③ 後ろに腕を広げ息を深く吐く
数秒キープでストンと下ろす

ストレッチの仕上げに、深〜く息を吐いてリラックス。数回繰り返せばOK!

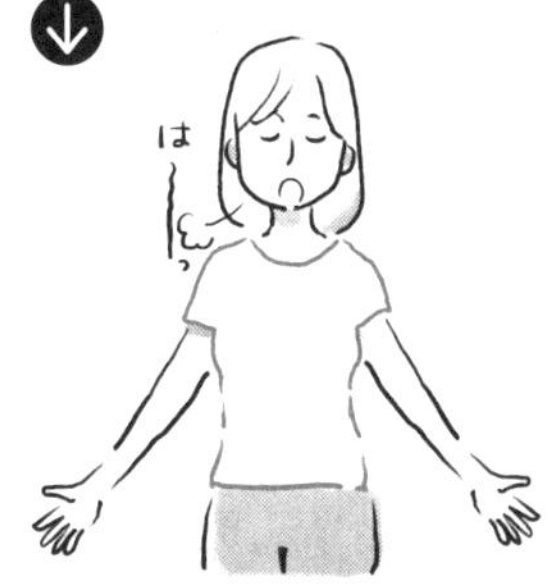

Column 1

効率よくトレーニングするための声診断！

トレーニング前のストレッチも済んだので、いよいよレッスン開始！　みなさんと、いきたいところですが、とても大切なことをひとつ忘れていませんか？　みなさんは、自分の声や話し方の弱点をご存じですか？　すでに「腹式呼吸ができない」「滑舌が悪い」など、直したい箇所がわかっている人なら、このページは飛ばしてもらって構いません。それぞれの章に進んで「声トレ」を開始しましょう。

また、「端から端まで熟読し、すべての声トレを実践したい」という人も、順次読み進めてもらえればいいでしょう。ただ、この本では、**忙しいビジネスパーソンのために、できるだけ短い時間で、できるだけ効率よくレッスンが進められることをコンセプトにしています**。自分の弱点をあらかじめ把握しておけば、ピンポイントでトレーニングしたり、苦手な箇所を念入りに繰り返したりと、短い時間で最大限の効果が得られるはず。

次のページから紹介する3つのテストを行って、自分のウィークポイントをチェック！

■読むだけでわかる　あなたの声診断　Check 1

次の文章を、普段話しているときと同じ声の大きさで、休まずひと息で読んでみましょう。息継ぎせずに、ひと息です！

「ハハハ　ある日　昼に　ニヒルな母　アヒルにひるんで　ハハハと笑った」

いかがでしたか？　もし、ひと息でいえなかったなら、腹式呼吸がきちんとできていないのかもしれません。

ハ行というのは、ほかの音と比べて、より多くの息を必要とします。ハ行を続けると息切れしてしまう場合は、声を出すための基本中の基本、「腹式呼吸」ができていない可能性が高い。呼吸、とくに「吐く息」をしっかり出すトレーニングが必要です。

あなたの弱点は、ズバリ**「呼吸」**！　**↓第3章へ**

■読むだけでわかる　あなたの声診断　Check 2

次も、普段の声量で、ひと息で読んでください。ただし、できるだけ早口で。さぁ、早口言葉にチャレンジ！

「ママまみむめも　パパぱぴぷぺぽ　ババばびぶべぼ」

「ラダレデロド　ラダレデロド　ラダレデロド」

マ行、パ行、バ行は、発声時の口の周りの筋肉の動きが大きく、舌や唇、表情筋などがスムーズに働かないと、早口で言い切ることができません。ひとつ目の早口言葉が苦手な人は、表情筋を鍛える必要がありそうです。

また、ラ行は舌を大きく速く動かす音です。ラ行が連続する2つ目の文で舌がもつれるなら、とくに舌の筋肉を鍛えるといいでしょう。

あなたが力を入れるべき「声トレ」は、「**滑舌**」です！　**↓第4章へ**

■読むだけでわかる　あなたの声診断　Check 3

最後のチェック。こちらもいつもの声の大きさで、できるだけひと息に読んでみてください。２つ目の文章は、1～2か所の区切りを入れても構いません。

「バナナの謎は　まだ謎なのだぞ」

「老若男女問わず　高所得者層に　特定支出控除とさせていただきます」

いかにも舌を噛んだり息切れしたりしてしまいそうな、ちょっぴり意地悪な文章ですね。お腹を使って息をコントロールし、表情筋や舌を動かしているつもりでも、それらにしっかり「声の成分を乗せる」ことができていなければ、似たような言葉やサ行の連続を、よどみなく読み切るのは難しいのです。

この文章が苦手だと感じるあなたにおすすめしたいのは、「発声」のトレーニングです。該当するページに進み、重点的に訓練しましょう！　**↓第5章へ**

VOICE

第3章

「1日1分」で
声が生まれ変わる！
「呼吸」トレーニング

「呼吸」トレーニングで声がよくなるメカニズム

声が出るしくみは「マーライオン」と同じ？

普段、声がどのように出ているかを意識しながら話す人は、おそらくいませんよね。

「声トレ」をするときには、自分の声や話し方を「意識」することが何より大事。そして、声が出るしくみを知っていれば、いま、自分が発している声をより意識しやすくなります。

声は、次のような４つのプロセスで発せられます。

①呼吸……肺から出た空気（呼気）が、横隔膜（おうかくまく）の収縮で上部に押し上げられる。
②発声……気管を通った空気が声帯にぶつかり、振動させて声のもとの音をつくる。
③共鳴……音になった空気が、鼻腔（びくう）や口腔（こうくう）などの空間で響く。

④発音……舌や唇の動きによって、音が言葉になる。

このように、呼吸によって肺に取り込まれた空気が気管や口腔を通り、「声」として口から出ていくプロセスは、シンガポールのシンボル「マーライオン」が水を吐き出す様子とそっくり。肺から空気を押し上げる横隔膜は、マーライオンの体のなかに組み込まれ、水を上に上げるタービンと同じ役割です。

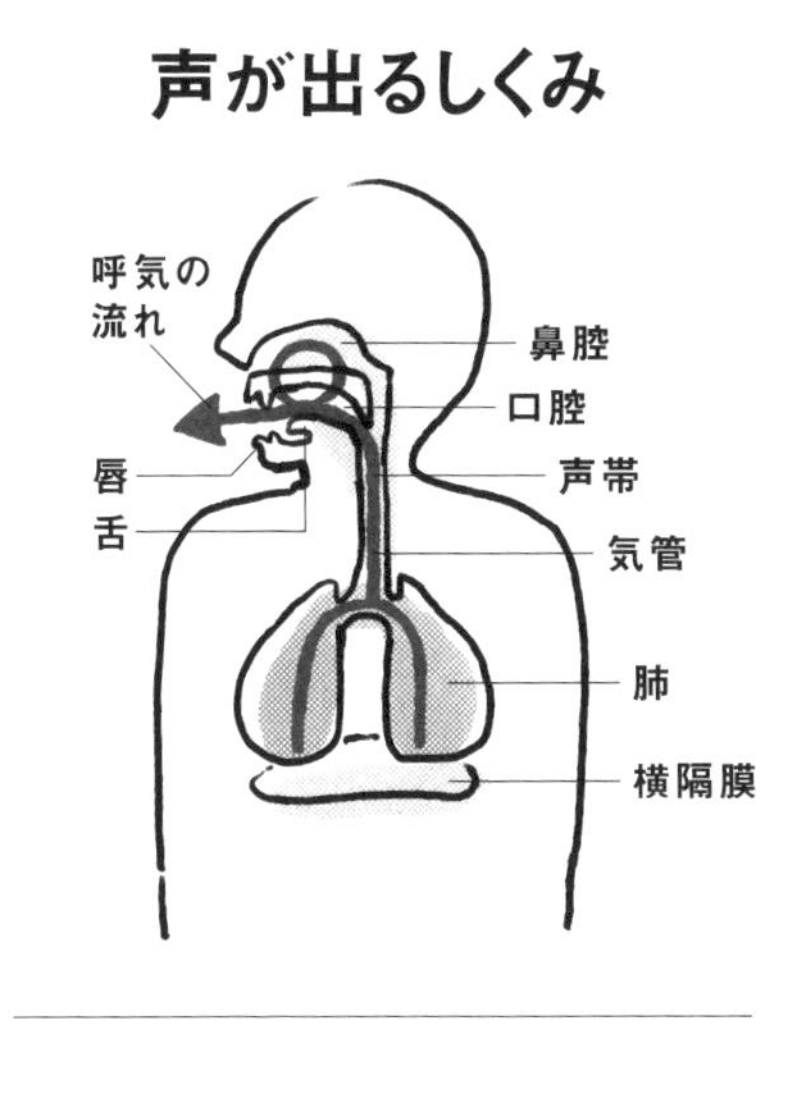

声が出るしくみで最も重要なのは、肺、気管、声帯、口腔、唇、すべての場所で「空気（呼気）」が声のもとになっているという点。

トレーニングの際には、姿勢を正し、水を吐き出すマーライオンをイメージして、息を吐くことを意識するといいとも、私はよくみなさんにお伝えしています。

いい声に欠かせない「腹式呼吸」とは?

声のもとになっているのは、肺から出てくる空気(呼気)。つまり、呼吸、とくに息を吐くことがしっかりできていないと、いい声は出せません。そして、たっぷりの息を勢いよく吐くために欠かせないのが**「腹式呼吸」**です。

たびたび耳にはしているけれど、意外に正しく知られていないのが、この腹式呼吸。「お腹を膨らませて息をすること」だと思っていませんか?

腹式呼吸をするとお腹が膨らむのは、あくまでも結果であって、膨らませることを目的にしてもまったく意味はありません。考えてみてください。吸った空気は、お腹ではなく肺に入るのです。空気でお腹は膨らみません。

お腹を膨らませて吸うのではなく、お腹(横隔膜)で絞り出すように肺の空気を出すことを意識してみましょう。お腹に力を入れて吐き切れば、自然にお腹が引っ込みます。そして、次に息を吸うときには、体に空気が入ってくるのと同時に自然とお腹が膨らむ。こ

腹式呼吸と胸式呼吸を体感

横になり、お腹に手を置いて、自然に呼吸してみましょう。息を吸うと膨らみ、吐くとへこむのがわかるはず。これが腹式呼吸。寝ているときは、誰もが自然に腹式呼吸をしているのです。一方、起きた状態で胸に手を当て、口を閉じて鼻から息を吸うと、胸が膨らむのを感じます。これが息が浅い胸式呼吸です。

れが腹式呼吸でお腹が膨らむメカニズム。

腹式呼吸で勢いよく息を吐き、そこに声の成分を乗せると「よく通る」「大きな」「はっきり聞き取りやすい」、つまりは「いい声」になります。空気の出し入れが浅い「胸式呼吸」では、吐く息にも勢いがないため、小さくて通りにくい声になります。

私たちは、無意識のうちに腹式と胸式、2つの呼吸をミックスして声を出しています。聞き取りやすい声を目指すためには、腹式呼吸の割合を多くするよう心がけましょう。

私の知る限り、**トップレベルのビジネスパーソンに胸式呼吸の割合が多い人はいません。**

吸うことより吐くことを強く意識するのが、腹式呼吸をマスターするポイントです！

「腹式呼吸」の健康、美容への驚くべき効果

声にいい腹式呼吸は、体全体にもたくさんのいいことをもたらしてくれます。

息が浅い胸式呼吸が心臓の鼓動を速めやすいのに対し、ゆったり深く息をする腹式呼吸は、いわば有酸素運動と同じ。横隔膜を積極的に収縮させるためインナーマッスルも鍛えられ、**基礎代謝が向上し、カロリー消費量アップ。太りにくい体質をつくってくれます。**

腹式呼吸をすると、体がじんわり温かくなり、顔色もよくなります。これはより多く酸素を取り込んだことで、血流がよくなった証拠。胸式呼吸では、血液のなかの酸素が不足し、血流も悪くなってしまうといわれています。

冷えを解消し、顔色がよくなる。血流と代謝のアップは、美肌効果にも期待大。腹式呼吸は、女性にもうれしい効果がたくさんあるのです。

胸式呼吸は「自律神経」にも悪影響を及ぼします。浅い呼吸では、吸い込んだ空気が肺の奥まで届かないため、肺には炭酸ガスなどがたまりやすくなる。この状態が長く続くと、

血液循環が低下したり、自律神経のバランスが崩れたりすると考えられています。

一方の腹式呼吸は、自律神経がたくさん集まっている横隔膜を刺激するため、**副交感神経が優位になり、心身をリラックスした状態に導いてくれます。**

ドーパミンやアドレナリンと並んで「三大神経伝達物質」とされる「セロトニン」は、腹式呼吸を行うと脳内にたくさん分泌されることがわかっています。

セロトニンが大量に分泌されると、副交感神経の働きが高まり、「自律神経のバランスを整える」「リンパ球が増えて、免疫力が高まる」「気持ちを落ち着かせる」「集中力が高まり、意識低下を防ぐ」などの効果があると見られています。セロトニンが「幸せホルモン」と呼ばれるゆえんです。

緊張を和らげたいとき、あるいは仕事などに集中したいとき、私たちは無意識のうちに深呼吸をします。これは非常に理にかなった行動なのですね。

プレゼン前の緊張を和らげたい、アイデアを生むひらめきが欲しい、イライラを鎮めたい。そんなときは、腹式を意識して深呼吸をしてみましょう。

普段の呼吸を変えるだけで、声だけでなく体質まで改善できる。これほど簡単で安上がりな健康法はないでしょう。

暮らしのなかで気軽にトレーニング

動画Ⓒ
（P222参照）

1日1分「呼吸」の声トレ①

手のひらに「はぁ〜っ」と息を吹きかける

いい声には欠かせない正しい呼吸。なかでも腹式呼吸はいい声を出すための基本のキです。腹式呼吸をマスターする方法はいろいろありますが、まずはいちばん簡単なやり方。

①片方の手のひらを口の前10㎝に、もう一方をお腹に当てる。
②寒さでかじかんだ手を温めるイメージで、力強く「はぁーっ」と息を吐く。

これだけです。吐くことに意識を置くのがポイント。しっかり息を吐き切れば、その反動で息は勝手に入ってきます。1分間、15回ぐらいを目安に。

手のひらを温めるだけで腹式呼吸に

① 片方の手のひらを
口の前10cmの位置に

② もう片方は
お腹に軽く当てる

息を吐いたときに自然に
少しへこむのを感じる

寒いときに手を温めるイメージで、力強く2秒で吐いて、ゆったり2秒で吸う。計4秒、1分間15回ほどを目安にしましょう。

1日1分「呼吸」の声トレ②

「脱力ため息」で「ロングトーン」をマスター

腹式呼吸の基本をマスターしたら、次は「ロングトーン」に挑戦です。難しく考える必要はありません。体から力を抜いて、ゆっくり肺のなかの空気を吐き切ればいいだけ。

先ほどのトレーニングは「手を温める」場面をイメージしましたが、今度は「ため息」です。仕事や家事に追われる毎日、ついため息をつきたくなってしまうことも。このトレーニングのときなら遠慮はいりません。思い切りため息をつきましょう。

①おへその上と下、両手の手のひらをお腹に当てる。

②やや前傾し、脱力しながらゆっくり息を吐き切る。

肺のなかの空気の量によって吐き切る時間は人それぞれですが、6秒かけて吐き、2秒で吸う。8秒サイクル、1分間で15回をとりあえずの目安にしてください。

思い切りため息をついて
ロングトーンをマスター

①　おへそを上下で
挟むように手のひらをお腹へ

②　ため息をつくときの
ように少し前傾し、
ゆっくり息を吐く

息を吐くときにゆっくりお腹
がへこんでいくのを感じる。
上下どちらでもOK

6秒かけて吐き、2秒かけて吸う。慣れてきたら、吐く時間をさらに長くしても構いません。周囲を心配させないよう、人前ではやらないほうがいいかもしれませんね。

1日1分「呼吸」の声トレ③

歩く速度に合わせて息を吐く

「呼吸」の声トレ①と②でマスターした腹式呼吸を、日常生活のなかに取り入れてみましょう。うってつけなのが、歩いている時間です。

ビジネスパーソンなら通勤や外回りの営業、主婦も買い物の行き帰りなど、多くの人が1日に数分から数十分は歩いているはず。

そして、この歩いている時間というのは、「ただ歩いているだけ」になりがち。このタイミングを有効活用しない手はありません。これなら、仕事や家事で忙しい人でも、わざわざ「声トレ」の時間をつくる必要がないのもおすすめポイント。

歩く速度と呼吸の時間で組み合わせはさまざまですが、**「右左で吐いて、右左で吸う」のリズム**を基本にしてみましょう。

このとき、「ハッハッ」と息が浅くならないように注意してください。**歩くリズムに合わせてテンポよく、深い呼吸をする**のがこのトレーニングの肝です。

歩いている時間を「声トレ」に活用しよう

① 姿勢はまっすぐ。
前傾すると呼吸の妨げに

② 歩くリズムに合わせ、
「ハーッ、スーッ」と深く呼吸

意識はお腹に。
吐くときに少し力を入れるとベスト

２歩でテンポよく吐いたり、４歩分使ってロングトーンで吐いたり、いろいろ試してみましょう。この呼吸の癖をつけてしまえば、歩くこと自体が気持ちよくなります。

1日1分「呼吸」の声トレ④

1日の終わりにリラックスして「丹田呼吸法」

私も毎晩行っている「呼吸」の声トレを紹介します。それは、寝る前にベッドの上で行う「丹田(たんでん)呼吸法」です。

東洋医学やヨガなどで重要視されている「丹田」があるのは、おへその下、指3～4本分のあたり。ここに意識を集中させて腹式呼吸を行うと、**新陳代謝促進や免疫力向上のほか、血液の循環がよくなる、自律神経のバランスが整うなど、数多くの健康促進効果があるとされています。**当然、これらは声にも大きな影響をもたらします。

本来、丹田呼吸法は立位や座位で行うものですが、毎日の習慣にするのなら、寝る前の時間がおすすめ。寝ているときは自然に腹式呼吸ができるため、意識を丹田に集中することができます。

くわしいやり方は左のページで。**1日の締めくくりは、「声トレ」にもなる丹田呼吸法。**寝る前にこれを行えば快眠間違いなし！

寝る前の「丹田呼吸法」が快眠を約束 声のコンディションもばっちり!

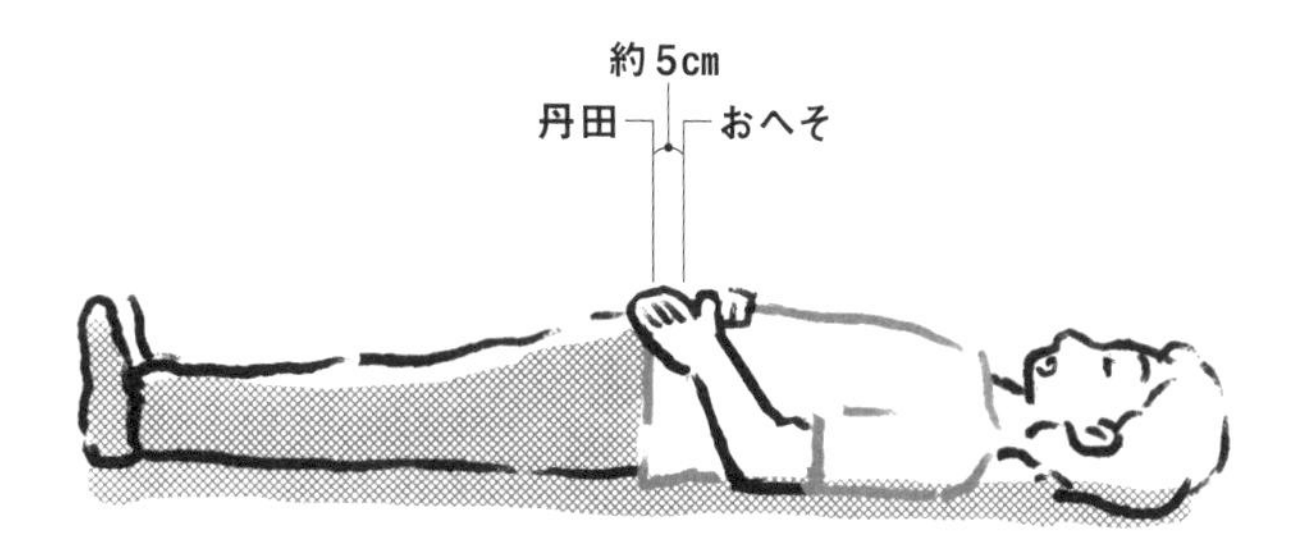

① 横になって肩の力を抜き、丹田に意識を集中させる。おへその下約5cmの位置に手のひらを当てると意識しやすいかもしれません

② 呼吸は鼻で。鼻からゆっくり息を吐いて、やや力を入れてお腹をへこませる

③ 吐き切ったら、力を抜いて鼻から深く息を吸い込んでいく

④ 5秒で吐いて5秒で吐くペースなら1分間で6回。時間や回数を気にせず、そのまま眠りに入ってもOK!

中国医学では、気をためる場所ともいわれている丹田。深い呼吸とともに体中のエネルギーが丹田にたまり、再び体の隅々にめぐっていくようイメージしてみましょう。繰り返しているうちに、いつのまにかウトウト……。

呼吸をコントロールすると筋肉が鍛えられる

1日1分「呼吸」の声トレ⑤
朝は「凹凸（ペタポコ）」からスタート

お腹周りの筋肉、とくにインナーマッスルに効く腹式呼吸。また、お腹の筋肉が鍛えられると、より力強い呼吸ができるようになります。つまり、**腹式呼吸とお腹の筋肉は互いにメリットを生むウィンウィンの関係なのです。**

そこで、ここからは腹筋増強効果が高いエクササイズをいくつか紹介します。とはいえ、苦痛や息切れを伴うような、いわゆる「筋トレ」は一切ありませんので、ご安心を。

お腹をペタッとへこませて、ポコッと膨らませる。たったこれだけ。呼吸は自然に、お腹をペタポコさせることに集中しましょう。1分間にペタポコを15回。

お腹を「ペタポコ」させるだけ
超簡単エクササイズ

① 全身をリラックスさせ、
腹筋に力を入れて
1～2秒かけて
お腹をへこませる。
横になった状態でもOK

② 脱力の反動を使わずに、
腹筋に力を入れたまま
1～2秒かけて
お腹をできるところまで
思い切り膨らませる

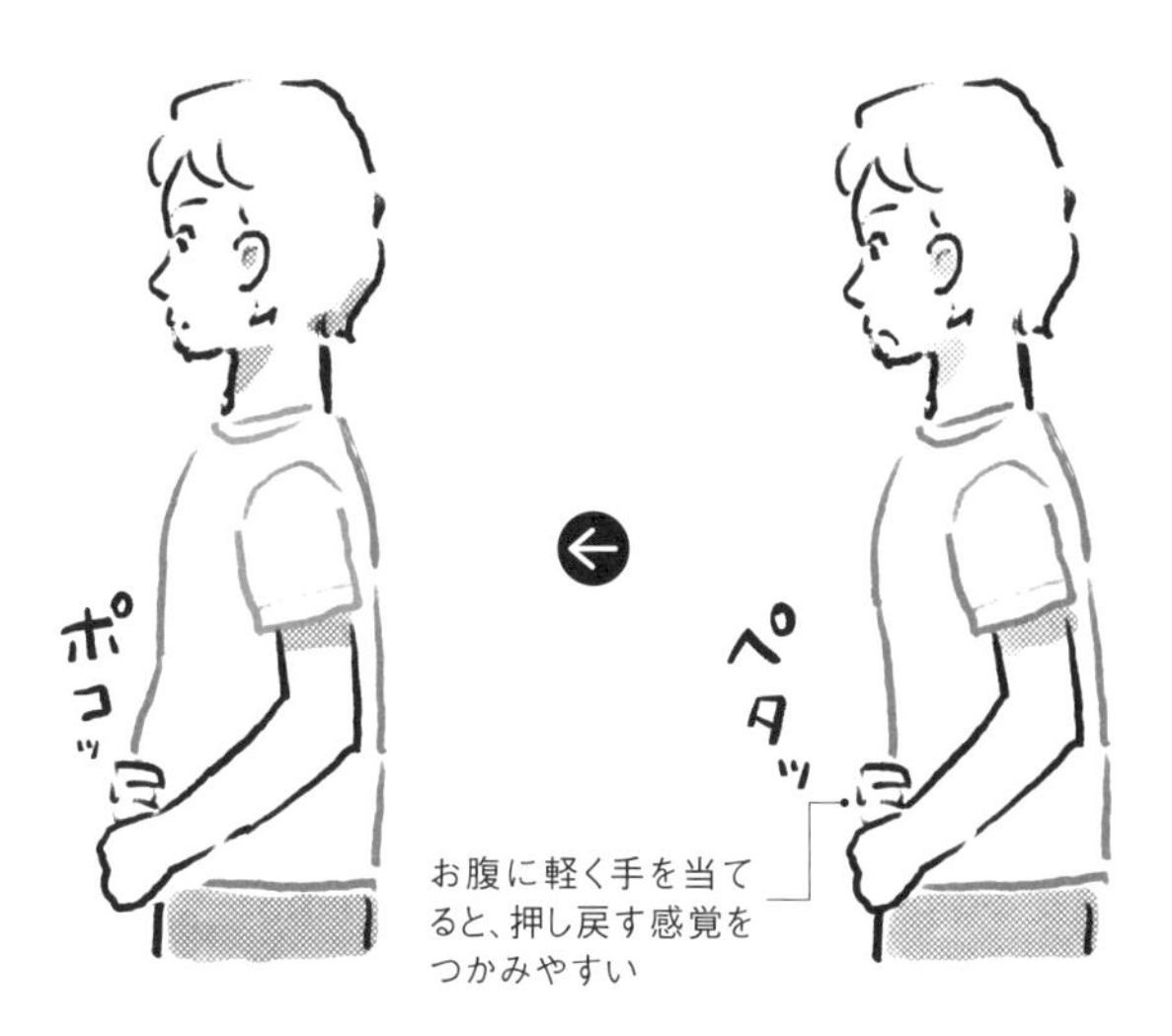

ペタッ
ポコッ
お腹に軽く手を当てると、押し戻す感覚をつかみやすい

「川村式腹ぺコウォーキング」「インアウトダイエット」の提唱者、川村内科診療所の川村昌嗣先生によると、上のイラストのようにお腹をペタポコと動かすだけで、ダイエットや部分やせのほか、便秘や腰痛、姿勢の改善にも効果があるとのこと。仕事中、歩きながら、入浴中など、いろいろな場面でできるのも便利。起床後1分間のペタポコで目覚めスッキリ、お通じ快調。腹式呼吸も強化できていうことなし！

1日1分「呼吸」の声トレ⑥

息を吐きながらお腹をへこませる「ドローイン」

先ほどの「ペタポコ」は、お腹の動きに集中して行いましたが、次は一歩進んでペタポコに腹式呼吸を組み合わせましょう。

息を吐きながらお腹をへこませ、吸いながらお腹を大きく膨らませるこのエクササイズは「ドローイン」と呼ばれ、腹横筋(ふくおうきん)、腹斜筋(ふくしゃきん)、横隔膜筋、多裂筋(たれつきん)、骨盤底筋(こつばんていきん)など、お腹の内側にある筋肉(インナーマッスル)を効率的に鍛えることができます。

通常の腹筋運動で鍛えられるのは、お腹の浅い部分のアウターマッスルのみ。ポッコリお腹を引っ込めたいときや、キュッとくびれたウエストが欲しいときには、お腹の奥で内臓を支えているインナーマッスルを鍛える必要があります。

いい声の源となる呼吸する力を鍛えるのはもちろん、ボディーラインをスッキリさせたい人にもおすすめのドローイン。深い呼吸で自然に胸が開くため、猫背が矯正され、体幹が鍛えられて正しい姿勢を保てるようにもなります。いい姿勢も、いい声を出すためには大きなメリットですね。くわしい方法は左のページで。

「ドローイン」で美声と美ボディーを手に入れる

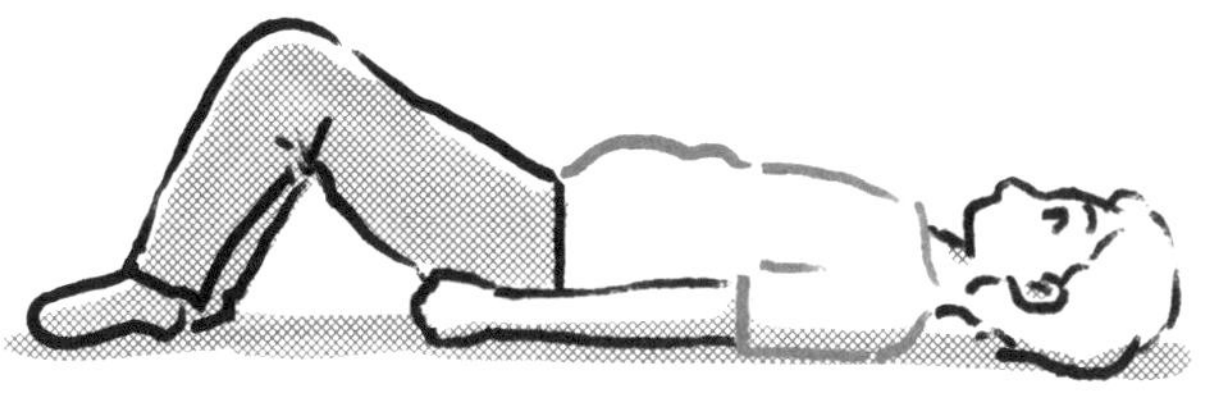

① 仰向けになり、膝を立ててリラックス。３秒かけて、鼻からゆっくり息を吸いながら、お腹を大きく膨らませる

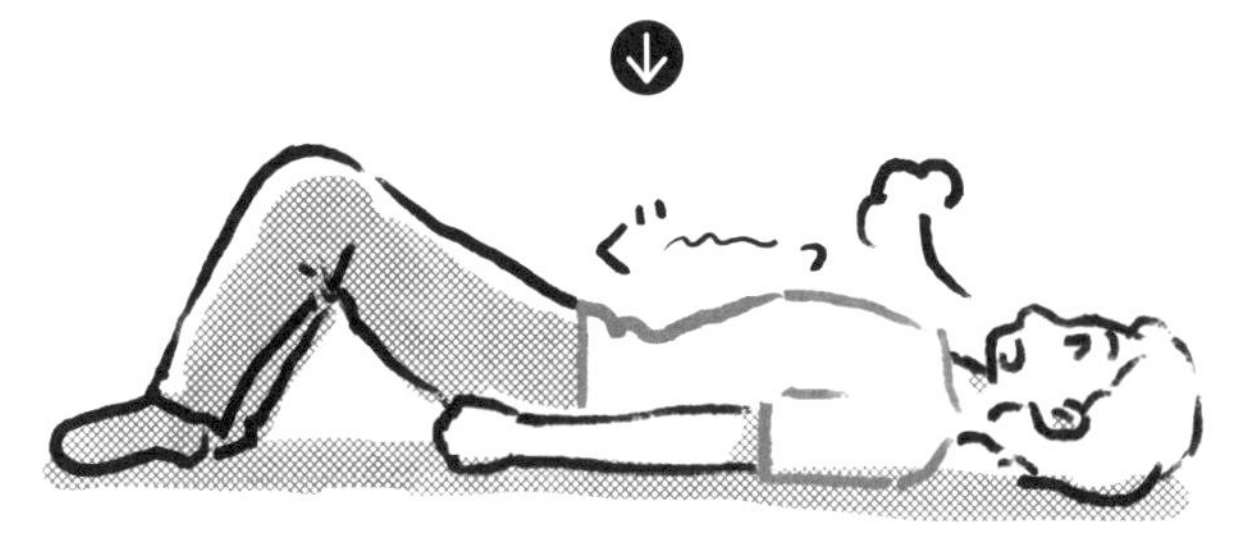

② 吸い終わったら、今度は７秒かけて口からできるだけゆっくり息を吐きつつ、お腹をぐ〜っとへこませていく

③ 息を吐き切ったら、お腹をへこませたまま10秒間キープ。この間は息を止めずに、鼻で静かに呼吸。このワンセットで１分間に3回。慣れてきたら、回数を増やしたり、キープの時間を20秒、30秒と延ばしたりしていくと、より高い効果が得られます

立った状態でも座ってやっても、歩きながらでもできるドローイン。いつでもどこでも、道具も費用も使わず、手軽にできるのがメリットですが、消化の妨げになるため、食後すぐに行うのは控えましょう。また、お腹を出し入れしようとするあまり、腰が反ったり前屈みになったりしてしまうのもよくありません。

1日1分「呼吸」の声トレ⑦
声を安定させる「シー」

動画Ⓓ
（P222参照）

テレビやラジオのアナウンサーの声は、どうして耳に心地よく、聞き取りやすいのでしょうか？

大きな理由のひとつは、声が「**安定**」していることです。

話し方が「平板」という意味ではありません。一つひとつの単語は正しいイントネーションを使い、抑揚もきちんとつけつつ、声のトーンは常に一定。尻すぼみになったり、急に強くなったりすることはありません。だから聞き取りやすいのです。

それとは逆に、語尾が小さくなったり、まるで怒っているかのように語尾が大きくなったりすると、聞き取りにくい声になってしまいます。

声のトーンを安定させるためには、息の量を一定に保つ必要があります。息の量が安定していないと、早口になって聞き取りにくくなる傾向もあります。

左のページのやり方に沿って、息を一定に保つトレーニング！　息が波打ってしまわないよう、お腹に軽く力を入れてキープするのがコツです。

息を一定にしたまま 少しずつキープ時間を延ばす

人差し指を口の前に立てた「静かにしてください」のポーズで、前歯の隙間から「シーーーッ」と息を吐く。指に息を感じながら、10秒間キープ。ゆったり2秒で息を吸って、繰り返し。12秒ワンセット、1分間に5回。

息が途切れるようなら、時間を短くして再トレーニング。

10秒間が余裕で保てるようになったら、15秒、20秒と時間を延ばしていきましょう。時間が長くなるほど、腹筋も必要になるのがわかるはず。最終目標は25秒間キープ。25秒は息の量を少なくしても構いません。

1日1分「呼吸」の声トレ⑧

「クレシェンド」でだんだん息を強くする

音楽の強弱記号のひとつ、「クレシェンド」。小学校の音楽の時間に習ったことがあると思いますが、「だんだん強く」という意味があります。次は、この強弱法を呼吸のトレーニングに組み合わせてみます。

①前歯の隙間から「スーッ」と音を出して息を吐く
②5秒間かけて徐々に息を強くし、最後に目いっぱい吐き切る

息を一定にキープするトレーニングでも腹筋は鍛えられますが、このクレシェンド法はお腹への効き方が段違いに強い。

思い切り息を吐き切るときに横隔膜がぐ〜っと上がって、インナーマッスルに大きな負荷がかかる。腹筋運動をしたときのように、お腹が「少し痛いな」と感じるぐらいまで強く吐き切るようにしましょう。

徐々に強く吐き
いい声に必要な筋肉を鍛える

前歯の隙間から「スーッ」と息を吐き、クレッシェンドで息をだんだん強くする。５秒かけて吐き切り、1秒で深く息を吸い、繰り返す。6秒ワンセット、1分間に10回。

このトレーニングをする際、「ス」で息を吐くのには理由があります。腹式呼吸の基本トレーニングのように「はぁ〜っ」と息を吐くと、息の強弱が聞き取りにくいのです。息の強弱がポイントの「声トレ」には「ス」を使うようにしましょう。

1日1分「呼吸」の声トレ⑨

息を止めて腹筋を鍛える「ストップブレス」

通りやすい声を出すいちばんのポイントは、大量の息を吐くこと。たくさんの息を吐くと、それだけ声帯がしっかり振動して、人の耳に聞き取りやすい声になるのです。

大量の息を吐くためには、当然たくさんの空気を肺に取り込む必要があります。

続いては、横隔膜や呼吸器を鍛えて、ひと息でより多くの息を吸い込むためのトレーニングです。やり方はいたってシンプル。

①息を吸ったら、お腹に力が入っているのを意識しつつ、そのまま10秒間止める。
②脱力しながら、ゆっくり息を吐く。

要は、息を止めるだけ。吸うときは素早く、吐くときは脱力しながら自然にゆっくり。

10秒間止めて、3秒で吐き、2秒で素早く大量に吸う。15秒ワンセット、1分間に4回。

苦しかったら無理をせずに止める時間を短く。

大量に吐くために、大量に吸えるようになる

① 2秒ほどのうちに、できるだけ多くの息を吸う。吸うときは鼻でも口でもOK

② 10秒間止めたのち、ゆっくり息を吐き出しながら体もゆるめる

2秒で吸って、10秒止めて、3秒で吐く。このサイクルに慣れてきたら、もう少し短い時間で息を吸い切れるようにチャレンジ。胸式の浅い呼吸にならないように気をつけ、息を止めるときには無理をしすぎないように注意しましょう。

1日1分「呼吸」の声トレ⑩

ボクサー気分で「シュッシュッ！」

声が通りにくい、聞き取りにくい人は、息に瞬発力がないのかもしれません。とくにカ行、サ行、タ行、ハ行などは息に勢いがないとモゴモゴとした印象になってしまいます。

そこで、鋭く強く息を吐くための「声トレ」です。

ボクサーがシャドーボクシングをしているときのように、「シュッ！」（スッ！でもOK）と息を吐く。お腹に手のひらを当てながら行えば、息を強く吐いた瞬間にお腹がグッと引っ込むのがわかると思います。強く吐くのが苦手な人は、「シュッ！」のタイミングに合わせてお腹をぐっと押してあげるのもいいでしょう。勢いがつきやすくなります。

「シュッシュッシュッ！」と連続で吐くだけでも構いませんが、「シュッシュッシュー！」と**数息ごとに長く吐くとリズミカルに続けられ、吐き切る感覚もつかみやすくなります。**

「シュッシュッシューッ！」と3息ごとに長めに吐き切り、1セット3秒。ボクサーになった気分で、1分間に20セットがんばりましょう！

ボクサー気分で素早く、鋭く、強く「シュッシュッ!」

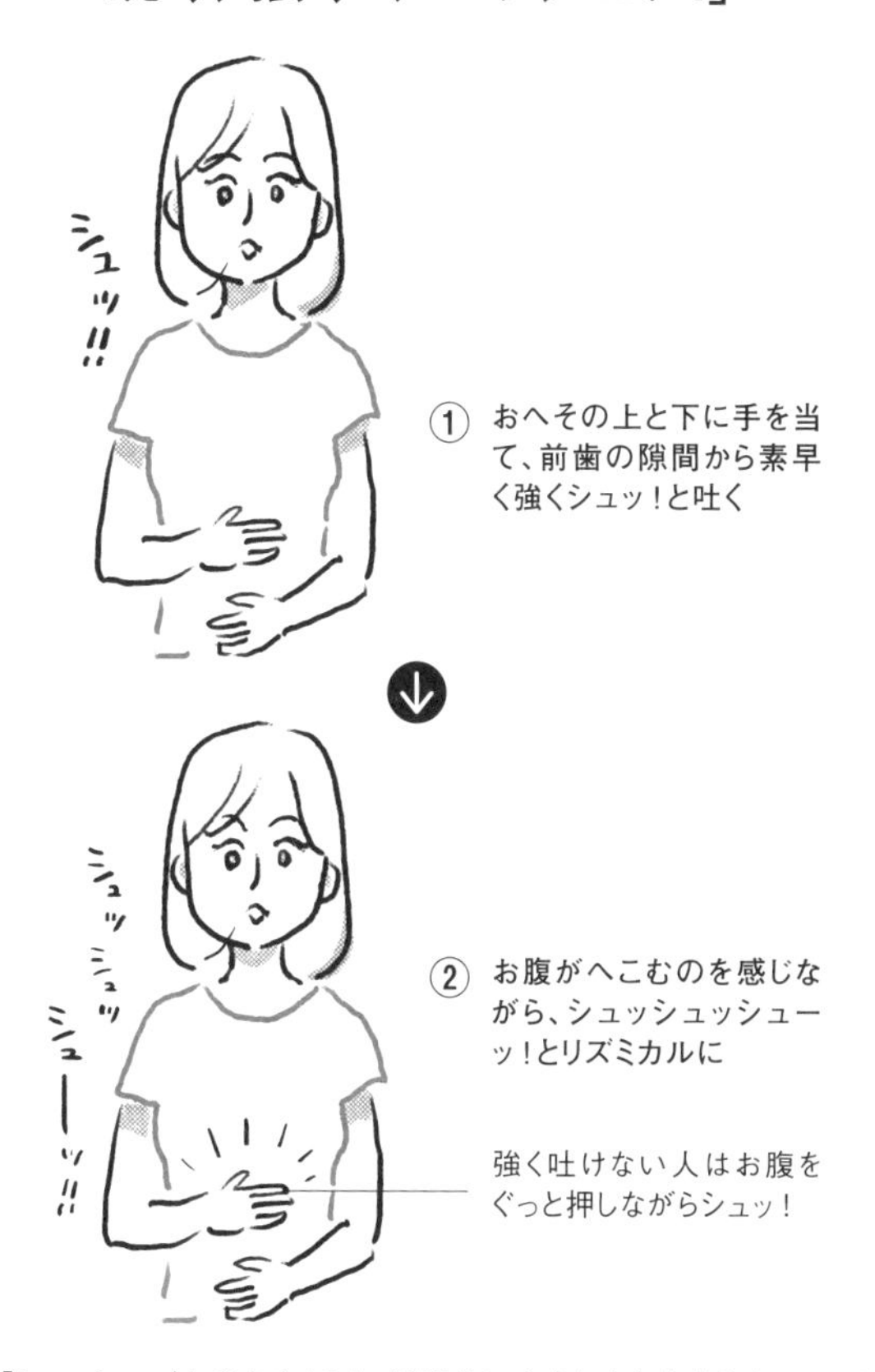

ボクサーが「シュッシュッ」と息を吐くのも、瞬間的に大きな力を出すため。このトレーニングを続けていると、お腹の筋肉を使って息を強く吐き出す癖がつき、普段話すときにも自然に声が通るようになります。

Column 2

「呼吸」を変えて喉を痛めなくなった売れっ子コンサルタント

貿易商の豊かな経験と知識をもとに、輸入ビジネスのアドバイザーとして活躍している大須賀祐（おおすかゆう）さん。輸入業のコンサルティングのほか、マスコミにも頻繁に出演し、著書も多数。文字どおりの売れっ子コンサルタントです。

セミナーの受講者も多い大須賀さんは、「大勢の前で話していると声がかれてしまう。喉が痛くなってつらいので、セミナー数を制限している」と、売れっ子ならではの悩みを持っていました。

とある交流会で知り合った大須賀さんから相談を受け、セミナーで話しているところを実際に拝見。その場で「**声がかれるのも、喉が痛くなるのも直せますよ**」と伝えました。

当時、大須賀さんは50代後半。加齢の影響もあったようですが、それよりいちばんの原因は「胸式呼吸」でした。

胸式呼吸は吐く息の量が少なく、勢いもないため、声が通りにくい。無理に声を張って補おうとするので、喉に余計な負担がかかる。これでは声がかれるのも当然です。

普段は腹式寄りのしっかりした呼吸で話している人でも、スピーチやプレゼンなどでマイクを握ったとたんに胸式呼吸になってしまうケースも。機械の力で声が大きくなるため、ついマイクに頼り、本人も気づかぬうちに胸式呼吸になってしまうのです。

また、緊張して上半身に力が入ると、胸式呼吸になりやすくなります。

マイクで声が増幅される分、無理に加減をしようとして、胸式寄りの呼吸になってしまう人も。**マイクを通すときも、お腹を使った深い呼吸で伸びのびと声を出しましょう**。声が大きいと感じたら、マイクのボリュームやマイクとの距離で調整すればいいのです。

「声トレ」をして、すっかり腹式呼吸をマスターした大須賀さん。もともと人気が高かったところに、喉を痛めることがなくなり、より説得力のある「いい声」も手にして、制限していたセミナー数を増やしたそうです。「おかげさまで受講生も増えました」と喜びのメールが届きました。あの様子なら、**収入アップも間違いないでしょうね**。60代になったいまも素敵な声で精力的に活動しています！

VOICE

第4章

「1日1分」で
声が生まれ変わる！
「滑舌」トレーニング

「滑舌」トレーニングで声がよくなるメカニズム

世界的にも聞き取りにくい日本語を正しく伝えるには

声の良し悪しや、話すことの得手不得手は人それぞれ。特別なトレーニングをせずに、聞き取りやすい声でスラスラと話せる人もいます。

その一方、**日本人なら「全員」がいい声を出す努力をすべき、少なくとも聞き取りやすい声を出すよう意識すべきだ**とも思います。というのも、もともと「日本語」というのは、世界のあらゆる言葉のなかでも、とくに聞き取りにくくなりやすい言語なのです。

箸と橋、雨と飴、春と貼る。日本語の多くの単語は、音の「高低」で使い分け、認識しています。そのため、息の出し方が弱かったり、語尾が不明瞭だったりしても、音の高低

（イントネーション）でなんとなく通じてしまう。

対して、英語、中国語などは、息や舌を使った「強弱」「アクセント」で成り立っています。必要に応じて息を強く吐き、積極的に舌を動かさなければ言葉を伝えることができない。世界的にはこうした言語が大半で、**日本語のように音の高低で成り立っている言語は、とても珍しいといわれています。**

腹式呼吸を使った発声が苦手な人が多いのも、「胸式呼吸で不明瞭な声でも、とりあえず会話は成立する」から。日本人は、英語やフランス語のマスターが苦手な国民です。これも呼吸や舌の動きをサボった発声が染みついているせいで、英語特有の舌使いやフランス語などに多い無声音での強いアクセントができないため。大人より子どものほうが英会話の上達が早いのは、サボった発声がまだ染みついていないからです。

仕事の成果をもっと上げたいのなら、そして、もっと年収をアップさせたいのなら、「なんとなく通じる」だけでは、まったく不十分です。

染みついてしまった声の悪癖を改善し、**聞き取りやすく、印象のいい声を身につけるために、腹式を使った正しい呼吸の次は、「滑舌」のトレーニングをしましょう！**

滑舌は「舌」と「表情筋」の動き次第で変わる！

もともと言語的に聞き取りにくくなりやすい日本語。そんななか、唯一の例外といっていいのが「関西弁」です。

関西の言葉は、音の高低だけでなく、強弱によるアクセントも併せ持っています。言葉に強弱をつけるためには、腹式の鋭い呼吸をサポることができません。関西人に声が通る人が多いのは、そうした言語的背景ゆえ。

話し方のお国柄といえば、東北の人たちは口や舌の動きが小さく、表情の変化も少ないといわれています。冬の厳しい寒さや、シャイな県民性がそうさせているとも。

彼らと比べ、関西人は口や舌の動きが活発で、表情も豊かな人が多いと思いませんか？

この東北と関西の話し方の違いにこそ、滑舌をよくするポイントが隠されています。

滑舌をよくするために、「舌」が重要なのはいうに及びません。舌の動きが鈍いと、正しい位置に舌を置いたり動かしたりできないため、発音が不明瞭になりやすい。

なめらかで
鋭い舌の
動き

ほぐれて
よく動く
表情筋

滑舌がよく、聞き取りやすい声

ただ、舌はほぼ筋肉でできていますので、トレーニングをして鍛えれば、動きをよくすることは可能。舌をキビキビ動かせるようになれば、自然に発音もクリアになります。

舌と同様、滑舌に大きな影響を与えているのが**「表情筋」**です。

文字どおり、目や口、鼻などを動かす筋肉で、口輪筋（こうりんきん）や笑筋（しょうきん）など50種以上の筋肉が相互に作用し、口の動きや顔の表情をつくっています。

この表情筋が硬いと、口を自由に、大きく動かすことができないため、やはり言葉が不明瞭になってしまいます。

サボってでも通じてしまう（関西弁を除く）ためか、海外の人と比べ、日本人は表情筋が硬い人が多いようです。

「表情筋」を意識すれば「いい笑顔」ができる

この本を手にした人の多くは、ただ単に「いい声」を手にしたいだけではないはず。本のタイトルにもあるように、**いい声を「仕事」や「収入」につなげたい**と考えている人がほとんどではないでしょうか。

トップ営業パーソンやカリスマ企業家たちを見ても、声がビジネスの武器になるのは間違いありません。

それでは、いい声さえあれば、できるビジネスパーソンになれるでしょうか？

それぞれの職種やシーンごとに細かな違いはあれど、「いい声」によって目指すところを端的にいうなら、**「好印象を与えるコミュニケーション」**だと思います。そのための、いい声です。

たとえば、声はクリアで聞き取りやすく、よく通って響いているのに、顔が無表情だったなら。そんな営業パーソンは、好印象どころか、逆に不信感すら与えかねません。

相手に好印象を与え、信頼を得たいのなら、その場その場にふさわしい表情も必要。なかでも重要なのが**「笑顔」**です。

笑顔がコミュニケーションを円滑にすることに、異論がある人はいないでしょう。しかし、私のスクールにやってくる人には、声ばかりを気にして、自分の表情に笑顔が足りていないことに気づいていない人が少なくありません。

そんなときには、口角をふんわり上げて、ニコッと笑いながら話すトレーニングをしてもらいます。実際、口角を上げて話すと、声が1音から1・5音ほど高くなり、明るい印象になります。できる営業パーソンは、もれなく話すときに口角が上がっています。

みなさん、おそらく笑っているつもりなのですが、私から見ると、まだまだ足りていません。とくに**営業職や接客・サービス業、人前で話す講師業の人などは、自分では「やりすぎ」に感じるぐらいでちょうどいい。**

笑顔の不足にも、「表情筋の硬さ」が深く関係しています。表情筋を意識できるようになれば、間違いなく笑顔も変わります。**表情筋トレーニングで、「ボイス&スマイル」の最強ビジネスツールを手に入れましょう!**

「たった1分」で滑舌は改善できる！

ビジネスの現場における、滑舌の悪さのデメリット。

言葉が聞き取りにくいため、大事なことが伝わりにくいのはもちろんですが、「頼りない印象」を与えてしまうのも非常に大きな損失です。

仕事そのものの実力は申し分ないのに、相手に「この人で本当に大丈夫かな？」と感じさせてしまう。これほどもったいない話はありません。

第1章で紹介した**「説得力アップで年収が200万円アップした公認会計士」**のように、「仕事自体はできているはず。自分に足りないのは『声』だ」という気づきを持てる人は、それだけで優秀なビジネスパーソンだといえます。

しかし、残念ながら日本では、ビジネスにおける「声」の重要性を認識している人はそれほど多くないのが現状です。その点では、世界的な認識と大きな隔たりがあるといっていいでしょう。

滑舌の悪さに悩んでいる人は、仕事や自分自身のパーソナリティーに自信を持つことができない人も多いように感じます。

人前で話すことだけでなく、シンプルなコミュニケーションへの苦手意識も強い。そして、その原因となっている滑舌の悪さを「生まれつきだから直らない」と思い込み、自分の可能性を狭めてしまっています。

滑舌は直らない。これが大きな勘違い。**滑舌は直らないどころか、短時間で改善できるものだと知ってください。**

これは、私がスクールや企業研修でよく行っている、ちょっとしたテストです。まず、少し長めのビジネスフレーズを普段どおりに読んでもらいます。その後、「らりるれろ」と3回いってもらい、さらに2秒かけて舌を思い切り出す動作を5回。あらためて先ほどと同じフレーズを読むと、みなさん「すごくしゃべりやすくなった！」と驚かれます。

舌の動きを柔らかくする、ごくごく簡単なこのエクササイズにかかった時間は1分足らず。滑舌は「**1分間**」あれば改善できるのです！

滑舌をよくするために舌や表情筋を鍛えると、顔やせ、たるみの解消、むくみ防止といったうれしい副産物も。これらの効果も「自信」につながるのはいうまでもありませんね。

#「舌」を鍛える基本のトレーニング

1日1分「滑舌」の声トレ①

鏡を見ながら「あっかんべー」

まずは、舌を柔らかくするためのストレッチ。鏡を持って、自分に向かって「あっかんべー」をするだけ。舌はほぼ筋肉ですから、使っていないと凝り固まってしまう。**思い切りあっかんべーをすると、舌先だけでなく根元までほぐれて、動きがスムーズになります。**

会議中など、突然発言を促され、舌が回らずに噛んでしまうことがあります。社内の打ち合わせ程度ならまだしも、大事なプレゼンや大きな商談のときには、頼りない印象を与えかねません。**直前にこのあっかんべーを1分間やっておくだけで、噛んだり、言葉に詰まったりというトラブルは激減するでしょう。**くわしいやり方は、左のページで。

「あっかんベー」で流暢(りゅうちょう)なトークを!

① 鏡を見ながら思い切り舌を出す。自分で思っていたより舌が出ていないのでは?

② 舌を出したまま5秒間キープ。1秒休んでまた5秒、1分間に10回のあっかんべー

このストレッチをやる前とやったあとでは、「らりるれろ」のいいやすさがまったく違うのを体感しましょう。即効性があるのも、滑舌トレーニングのメリットです。仕事中に実践するときは、くれぐれも人がいない場所で……。

1日1分「滑舌」の声トレ②

硬くなった舌を引っ張って柔らかくする

あっかんベーエクササイズで鏡のなかの自分を見て、「あれっ、全然舌が出ていない!?」と驚かれた人は、相当に舌の根元が硬くなっているのかもしれません。

食事中や話しているとき以外、舌は口のなかでじっとしています。人と会話する機会が少なくない人でも、急に話そうとすると、うまく動かずに噛んでしまいます。

仕事のスタイルや普段の暮らし方で、丸1日ほとんど会話をしないような人は、舌がカチコチに固まっています。その生活を長く続けていれば、舌の筋肉も弱まり、舌を出すことすら難しくなってしまう。**最近はリモートワークも増えているので、会話不足によるカチコチ舌には要注意です。**

思うように舌が出せない人は、少しスパルタな方法で舌の根元をほぐしてみましょう。**ハンカチやタオルを使って舌をつかみ、軽く引っ張って5秒間キープ。**このとき、力を入れすぎないように。舌の動きをサポートしてあげる程度で大丈夫です。

少しスパルタなストレッチで
カチコチ舌を解消!

① 清潔なハンカチやタオルで舌をつかみ、舌を出しながら軽く引っ張る

② 5秒間引っ張ったら1秒休む。6秒ワンセットで、1分間に10回

無理やり引っ張り出そうとすると、舌は反射的に口のなかに戻ろうとします。あくまでも、意識は舌の力で出すことに集中。つかんだ指は、舌の動きをサポートするつもりで。

1日1分「滑舌」の声トレ③

「ベーロベーロ」で舌のアンチエイジング

筋トレでたくましい肉体を手に入れても、トレーニングをしなくなれば筋肉はしぼんでいきます。会話が少ない人の滑舌が悪くなりがちなのも、まったく同じ原理。舌は筋肉でできています。使わなければ硬く弱くなるのは当然のなりゆきです。

年を取ると舌がだんだん弱くなるのも、体の筋肉と同じ。これも、ある意味では自然ななりゆきなのですが、抵抗しなければ衰える一方です。

肉体のアンチエイジングには、運動が欠かせません。**加齢による舌の衰えを防ぐために必要なのも、やはりトレーニングです。**

舌（べろ）を鍛えるフレーズは「ベーロベーロ」。ダジャレのようですが、実はこれがおすすめ。「ベー」を普通に発音せず、舌を出しながらいうのがポイントです。

舌を出して「ベー」というと、続く「ロ」を発音するためには、舌を丸めて口のなかに戻す必要があります。結果、効率よく舌を運動させられるのです。

少し難しいエクササイズですが、左のページを見ながらチャレンジしてみてください。

「ベーロベーロ」は
たるみのアンチエイジングにも効く

① 舌を思い切り出しながら「ベー」。正しく発音する必要はないので、舌をきちんと出すことを意識して

② 伸びた舌を戻しながら「ロ」。舌が弱いと、この「ロ」がいいにくい。「ベーロベーロ」で4秒、1分間に15回

このエクササイズは、舌の動きをよくするだけでなく、首筋からあごや頬にかけてのたるみ解消にも役立ちます。声とフェイスライン、ダブルでアンチエイジングができる、お得な「声トレ」です！

1日1分「滑舌」の声トレ④

左右にまっすぐ舌を出して10秒キープ

筋肉を鍛えるためには、負荷を少しずつ上げるのがセオリー。滑舌をよくするための「声トレ」でも、徐々に強度の高いメニューを取り入れていくのが理想的です。**硬くなった舌の根をほぐし、思い切り伸ばせるようになったら、次は伸ばした舌をそのままの状態でストップ！**　出してすぐに引っ込めるより、かなり高い負荷を舌にかけることができます。

このとき、あっかんべーのように前方に舌を出してもいいのですが、ここでは舌の根をさらにほぐす意味も含めて、**左右に思い切り舌を伸ばしてみましょう。**

普段、あまりすることがない動きなので、舌を出すだけでも少しつらいかもしれませんが、無理をしない範囲で10秒間キープ。左右セットで20秒を、1分間に3回。

余裕ができてきたら、いろいろな方向に舌を伸ばして、同じメニューをこなしてみるのもおすすめです。

舌を出したままキープ。きついけど効果大!

左に出して10秒、右に出して10秒。 思い切りまっすぐ伸ばすのがポイント

余裕ができたら応用編。 上を向いて、まっすぐ舌を伸ばして10秒キープ

左右への舌伸ばしは慣れない動きですので、鏡で確認しながら行ってもいいでしょう。 上を向いて舌を出す動きは、二重あご防止にも役立ちます。

1日1分「滑舌」の声トレ⑤

すぐに覚えられる「舌ならしフレーズ」

プロのアナウンサーやイベント司会者などは、原稿を読む前、ステージに上る直前に**「舌ならし」「口ならし」のフレーズで舌と口の準備運動をします。**

しっかり息を吐く必要があるハ行、柔軟に素早く唇を動かすパ行など、使用する「音」それぞれに「効く場所」があります。ここでは、滑舌が悪いと舌足らずで不明瞭になりがちな「ダ行」と「ラ行」の使い分けに効果的なフレーズを紹介します。

「だらだりだるだれ　誰だろう？」

たったこれだけなら、すぐに覚えられますよね。早口言葉ではないので、スピードを気にする必要はありません。「だ」と「ら」が混ざり合って、「られらろう？」「だでだどう？」とならないよう、舌を正しく動かすことが大切。1回3秒かけて、1分間に20回。スラスラいえるようになるまで、繰り返し練習あるのみ！

「舌ならしフレーズ」で
音をきちんと使い分ける

ダ行とラ行の発音は舌の位置が近いため、きちんと動かせていないと「知らない」が「しだない」に、「ありがとう」は「あでぃがとう」に聞こえがち。本人には自覚がないこともあります。

そのほかの舌ならし口ならしフレーズにも挑戦

ハ行

ハタハチハツハテハト
ヒタヒチヒツヒテヒト
フタフチフツフテフト
ヘタヘチヘツヘテヘト
ホタホチホツホテホト

ダ行

ダバダビダブダベダボ
ヂバヂビヂブヂベヂボ
ヅバヅビヅブヅベヅボ
デバデビデブデベデボ
ドバドビドブドベドボ

パ行

パラパリパルパレパロ
ピラピリピルピレピロ
プラプリプルプレプロ
ペラペリペルペレペロ
ポラポリポルポレポロ

「表情筋」を鍛える基本のトレーニング

1日1分「滑舌」の声トレ⑥
「うーわー」で表情筋をほぐす

表情筋のトレーニングを始める前に、左のページのイラストを見てください。表情筋はたくさんの細かな筋肉で構成され、常に連携を取りながら表情をつくっています。一つひとつの筋肉をピンポイントで鍛えるのは困難ですが、**どこにどのような筋肉があり、どう機能しているかを知ることはとても大切。**意識するとしないとでは、筋肉に与える刺激に大きな差があるのです。

まずは舌と同様、筋肉をほぐすところから。口を思い切り前に突き出して「うー」、大きく開けて「わー」。「うーわー　うーわー　うーわー」と3回繰り返してワンセット。1分間に15セットほどが目安ですが、回数ではなく時間を目安にしても構いません。

顔全体に広がる表情筋の数々

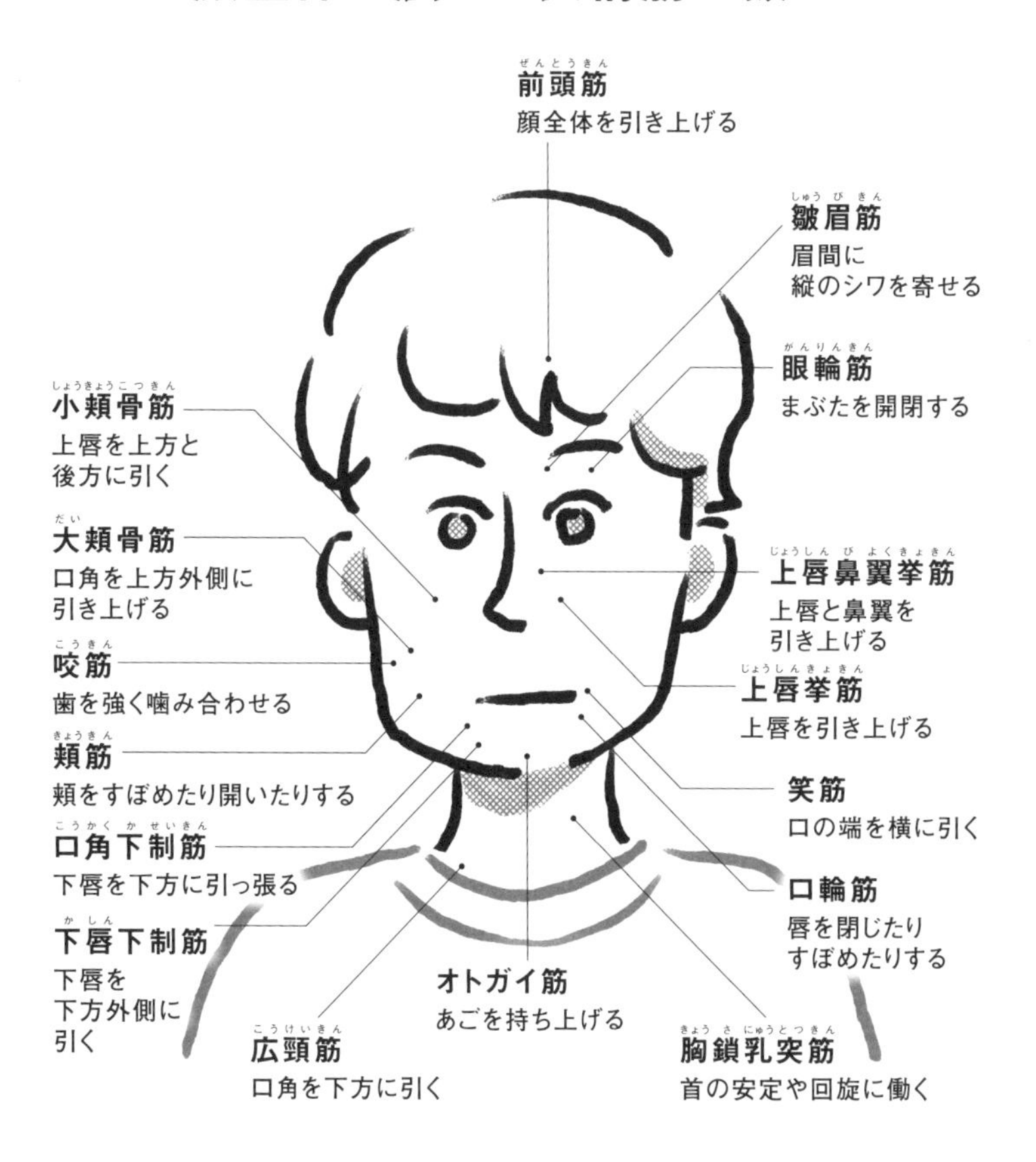

ここにある表情筋はごく一部。実際には、首筋からおでこまで、50種以上の筋肉が張りめぐらされています。表情筋の動きは、滑舌だけでなく、シワやたるみなど、見た目にも大きく影響します。

1日1分「滑舌」の声トレ⑦

左右の頬をぷくっと膨らませる

頬や口元がこわばってしまい、うまく笑えなかった経験はありませんか？ 緊張が原因で顔がひきつるほかにも、表情筋が硬くなっていたり、動きが不足したり偏ったりしている場合にも、笑顔は不自然なものになってしまいます。

一度、鏡を見ながら、普段どおりに笑顔をつくってみてください。**頬が柔らかく動き、口角が左右均等に上がっていればＯＫ。**

人の顔は左右対称（シンメトリー）になっていないのが普通です。ただ、あまりにも左右のズレが大きい場合は、筋肉が硬くなり、表情がゆがんでいるのかもしれません。

頬周辺をほぐし、筋肉を鍛えるには、**ほっぺたに空気をためて「ぷくっ」と膨らませる動作がうってつけ。**左右それぞれ膨らませて、どちらか片方だけ膨らませにくいと感じる人は、表情筋が硬く、動きに偏りがある証拠。違和感なく膨らませられるようになるまで、左のページのエクササイズを繰り返しましょう。

頬周辺の筋肉を鍛えるエクササイズ

① 片方のほっぺたに空気を入れて、これ以上膨らまないところで5秒キープ。逆も同じように

② 両方同時に膨らませて5秒。左右と両方で15秒ワンセット、1分間に4セット。呼吸は鼻を使って

エクササイズ前に頬を触って感触を覚え、終了後にもう一度触ってみると、柔らかくなっているのがわかるはず。表情筋の筋トレにもなっていますので、フェイスラインをシャープにする小顔効果も期待大！

1日1分「滑舌」の声トレ⑧

顔全体を刺激する「食いしばり&びっくり顔」

いくつもの筋肉が連動して働くのが表情筋の特徴。一見、関係がないような場所にもつながっていて、動きや状態に影響を与えます。目を細めようとすると、意識していないのに眉間にシワが寄ってしまうのも、表情筋が連動しているため。

口の周りにある口輪筋は、放射線状に多くの表情筋とつながっています。口輪筋が弱くなると、口の周りだけでなく、顔全体のたるみにもつながるとされています。

表情筋のトレーニングは、1か所だけ行っていても最良の成果は得られません。**顔全体に刺激を与え、相乗的に働きを向上させることが大切です。**

おすすめしたいのが次のエクササイズ。2つの動きを連続して行うもので、まずは歯を食いしばり、目も「ぎゅ〜っ」とつぶって4秒。「ほわん」と脱力して表情筋をいったん弛緩(しかん)させたら、今度は口と目を「はっ」と開いて4秒。顔全体を思い切り縮め、思い切り開くイメージ。弛緩タイムも合わせて「ぎゅ〜っ」「ほわん」「はっ」のワンセットで10秒、1分間に6回。

広範囲に刺激を与え
トレーニング効果アップ！

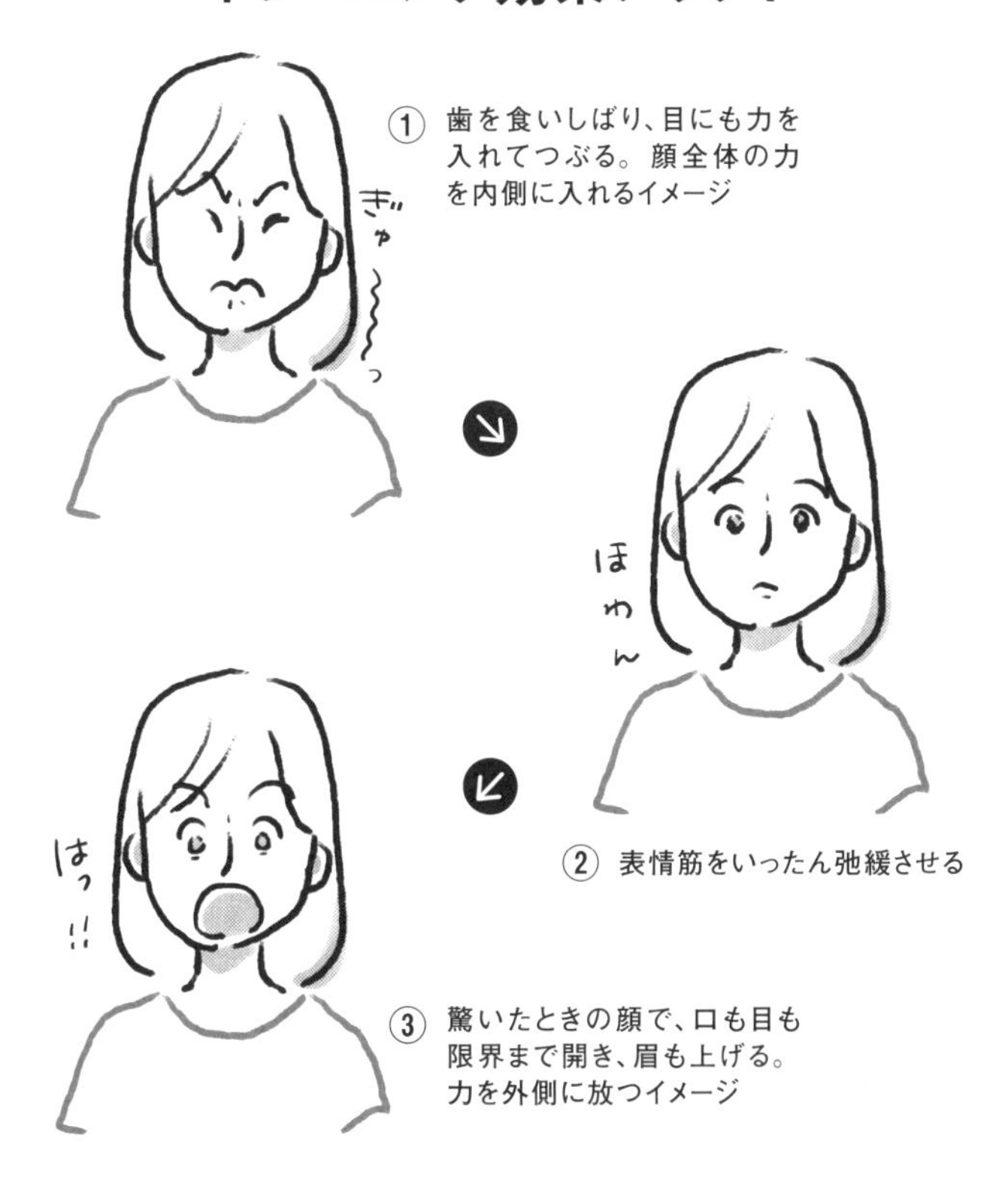

頬筋、咬筋、眼輪筋、大頬骨筋、前頭筋等々、広い範囲の表情筋に刺激を与えるこのエクササイズ。口を開きやすくなるなど、声への好影響はもちろん、ほうれい線の引き上げや目元のたるみ解消といった美容面でのメリットも。トレーニング中の顔を人に見られると、かなり恥ずかしいのがデメリットですね。

1日1分「滑舌」の声トレ⑨

「キウイウキウキ」で口を正しく動かす

120ページで紹介した「舌ならしフレーズ」の「だらだりだるだれ　誰だろう?」のように、短い文章を使ったエクササイズは、すぐに覚えられて癖にもしやすいので、日常のふとした隙間時間に取り入れられて、とても便利です。

表情筋のトレーニングにおすすめなのは、次のフレーズ。

「キウイウキウキ　ウキウキしちゃう」

覚えやすく、楽しくトレーニングするためのものですので、文章にはまったく意味はありません（笑）。

もちろん、このフレーズにした意味はちゃんとあります。**「い」の音で口を横にしっかり開き、「う」の音で唇を思い切りすぼめるのが狙い。**その点を意識し、頬、頬骨、唇の周りの筋肉に力を入れて「ウキウキ」するようにしましょう。

母音を意識して口をしっかり動かす

普段話すスピードよりゆっくりめに、口を強く、正しく、大きく動かすことに集中。1回6秒かけ、1分間に10回目安

母音を意識してしっかり口を動かすには、普通に「あいうえお」というより、「いえあおう」の順で発音したほうが口の動きがわかりやすく、より大きなトレーニング効果が得られます。口の動きを確認しながら、「きけかこく、しせさそす……」と五十音すべていい終わると、ちょうど1分ほど。自分ではオーバーに感じるぐらいに、口を大きく動かすことが重要！　上を向いて首筋を伸ばしながらやれば、二重あごの防止効果も。

1日1分「滑舌」の声トレ⑩

口角を上げて「にっこり」そのまま20秒

これまで行ってきたトレーニングで、表情筋がどれくらい鍛えられたのか、ちょっとしたテストをしてみましょう。

歯が少し見えるくらい「にっ！」と口角を上げて、そのまま20秒キープ。もし途中で頬や口の周りが痛くなってしまったり、20秒間同じ状態を保てなかったりしたら、まだ十分には鍛えられていないということです。

この**「にっ！と20秒」**は、トレーニングメニューとしても、もちろん活用可能です。20秒キープで、1分間に3回。続けているうちに少しずつ筋肉がつき、痛みを感じることもなくなるはずです。

口角を上げ続けて頬が痛くなる人は、普段から笑顔でいる時間が少ない、あるいは笑顔が小さいということ。「にっ！と20秒」は、自分の笑顔の量を測るテストでもあるのです。

キープスマイル！

口角を上げてキープスマイル！

同じ言葉でも口角が上がっていると共鳴しやすくなり、よく響く、明るい印象の声になる

ソプラノ歌手が頬骨を上げて歌うのも、空間を広げて声を共鳴させるためのテクニック

口角を上げると口の開きがよくなり、声の印象が明るくなります。また、笑顔の状態は、頬骨が上がって口のなかの空間が大きくなるため、音が共鳴しやすくなる。笑顔で話すことは、見た目の印象をよくするだけでなく、ちゃんと「いい声」にもつながっているのです。

表情筋に効く！「宝田流マッサージ」

より活発に表情筋を動かせるようになるため、併せて実践することを強くおすすめしたいのが、歯科医師の宝田恭子(たからだきょうこ)先生考案の**「表情筋マッサージ」**。

顔の骨についている筋肉（表情筋）をしっかり意識し、指の腹を当てて動かすもので、このマッサージをやる前とやったあとでは、**表情筋の動きのスムーズさがまったく違う！**試しに顔半分だけマッサージしてみると、左右の違いで効果が実感できるはず。

ここでは、数ある宝田流表情筋マッサージのなかから、ベーシックなものをいくつか紹介します。いずれも難しいテクニックは必要ありません。すべて行っても2〜3分で完了しますので、起床後や休憩中、寝る前などに実践してみてください。ビジネスシーンでは、大事なプレゼンの直前に行うのもいいでしょう。リンパの流れも促しますので、**リラックス効果による睡眠改善、免疫力向上、フェイスアップなども期待できます！**

宝田流表情筋マッサージのポイント

◎骨についている表情筋を指の腹でとらえ、離さないように動かす
◎強すぎず弱すぎず、「痛気持ちいい」と感じるぐらいの力で
◎摩擦で肌にダメージを与えないよう、クリームや化粧水を使う

① 唇の斜め下に指の腹を当て、骨面を感じながら矢印方向に動かす。指が離れないように注意しながら、「1、2、3」のリズムでワンセット、左右それぞれ3セットずつ

口輪筋、下唇下制筋、オトガイ筋、口角下制筋、広頸筋を意識（以下、筋肉の名称は123ページ参照）

② 軽く口を開き、頬の中央に置いた指を矢印方向に動かして頬骨に当てる。動かしたい頬筋は広頸筋の下にあるので、やや強めに指を当てる。「1、2、3」を左右3セット

頬筋、広頸筋を意識

③ 口を開いたまま少し横を向き、下あごの歯が生えている骨の縁を指でとらえ、骨に沿って矢印方向に動かす。やや強めに指を当てて、「1、2、3」を左右3セット

笑筋を意識

④ 前項目と同じ姿勢で、エラ付近の骨に指を当てて後方に動かす。矢印のように約1cmずつ上にズラしながら、3段動かす。「1、2、3」を1セットずつ、左右とも

咬筋、笑筋、広頸筋を意識

⑤ 目頭の少し下の骨に当たるよう指を置き、矢印の方向へ「1、2、3」。頬骨中央のいちばん高いあたりと頬骨の最後も矢印方向へ「1、2、3」。1セットずつ、左右とも

上唇鼻翼挙筋、上唇挙筋、小頬骨筋、大頬骨筋を意識

舌と表情筋を120%生かす
応用のトレーニング

「読むだけ」で滑舌がよくなるフレーズ

国語の授業で音読、朗読の練習をした子どものころ。一方、大人が言葉を音(おん)にするのは、主に会話のときだけ。

しかも、自分自身で使う言葉を選ぶことができるので、苦手な言葉、発音は無意識のうちに避けてしまいがちに。

これでは舌が怠けてしまい、滑舌が悪くなるのも仕方ありません。

しかし、言い換えれば、苦手な言葉から逃げず、**国語の授業を思い出して繰り返し読みこなせば、それだけで滑舌がよくなるということ。**

そこで、日本人に苦手な人が多い**「ラ行」「サ行」「パ行、バ行」**をフィーチャーし、あえて読みにくい文章を用意しました。

①読めば「ラ行」に強くなるフレーズ
舌を大きく、素早く動かせるようになります。顔やせにも効きます。

②読めば「サ行」に強くなるフレーズ
吐き出す息の瞬発力をアップ。加齢によっていいにくくなることを防ぎます。

③読めば「パ行、バ行」に強くなるフレーズ
最もパワーを必要とする発音で、唇に力が入るため、たるみの防止にも。

はじめはゆっくりでもいいので正確に発音し、慣れてきたら少しずつスピードを上げていきましょう。

■読めば「ラ行」に強くなる

英語やフランス語などと比べ、日本語に「ラ行」はそれほど多くありません。それだけに慣れが不足して苦手に感じる人も。**ラ行の発音は、舌を大きく素早く動かす必要があります。**うまくいえず舌足らずになってしまう人は、舌を歯の裏につけて、弾(はじ)くようなイメージで発音するといいでしょう。

「ライオンズクラブのライブラリーへの落雷なら笑っていられない」
「理論家が理路整然と論理的に道理を議論」
「一塁二塁三塁を回って本塁に戻るのがルールである」
「練習を忘れたレギュラーではレースに連続レコードは生まれない」
「ローマの牢屋(ろうや)の広い廊下を六十六の老人がローソクを持ってオロオロ歩く」

■読めば「サ行」に強くなる

敬語表現など、ビジネス会話にも多く使われる「サ行」。流暢に使いこなせば信頼感や説得力のアップにもつながりますが、うまく発音できないと、だらしなく危なっかしい印象に。上歯茎（うえはぐき）の裏と舌先の隙間に、息を通したときに生じる「摩擦音」からなる**サ行は、吐き出す息の瞬発力が重要です。**

「佐々木（ささき）商事で新進気鋭と期待された新入社員が、初年度に出向したシンガポール支店でしくじった。尻拭いをした上層部の上司は『失敗は成功のもと。君は才能があるから支障なし！』と叱咤（しった）激励した。彼は上司を信頼し、真剣に仕事をし続けた。それから3年、新入社員だった彼も昇格人事で上海（シャンハイ）に出向し、素晴らしい仕事を成功させている」

サ行に強くなるポエム「しせさそ すしやさん」

作／秋竹朋子

さぁ、いらっしゃい！
旬の魚がせいぞろい
4月はサヨリにシマアジさ！
その他すごいよ、寿司（すし）のネタ
酢飯に合う寿司ネタは
サンマにサバにシャケ、サーモン
桜鯛（さくらだい）はしっかり締めていく
そうそう！　酢は殺菌効果が知られています

そして親しみやすいシーチキン
食通の好きな舌平目(したびらめ)にシャコ!
シシャモはさすがに筋違い
サワラは刺し身がいいさ
醤油(しょうゆ)つけてスズキもいいね!
すだちを擦ってもまた最高
せっかくだからしじみ汁もすすりましょう
寿司も刺し身も魚は新鮮に限る!
専門店がおすすめさ
そうそうその場で、そのまんま
即刻食べて即消化!!

■読めば「パ行、バ行」に強くなる

その名のとおり、閉じた唇を破裂させるように開いて音を出す「破裂音」。外来語や擬声語で多数使用。パ行は無声破裂音、バ行は有声破裂音という違いはありますが、どちらも子音としては最もパワーを必要とする発音です。**表情筋トレーニングを生かし、パ行とバ行の音で力を入れるように読みましょう。**

「部下とブレーンストーミングをし、部長イチ押しのベストプラクティスを共有して、プライオリティーの高い案件をベンダーに任せたいのです」

「B to Bのこのプロジェクトの進行はバジェット次第ですが、ボトルネックとなっているのはペルソナの細かい設定ではないかと。ゆえに、いわゆるバブル世代のパパ向けパッケージづくりが最もポピュラーな施策であると考えられます」

早口言葉は「呼吸」で噛まなくなる

アナウンサーも行っている定番の滑舌トレーニング「早口言葉」。似たような音を意地悪なほど連続させるため、舌や口を素早く正確に動かさなければスムーズに言い切ることはできません。当然、滑舌は重要です。

ただ、早口言葉の成功率を上げるために必要なのは、舌や口の動きだけではありません。**成功の鍵を握っているのは「息の吐き方」**。

いかにも混乱しそうな言葉の羅列を、長い文章として読み切ろうとするのではなく、「単語」の連続としてとらえ、一つひとつの単語の頭で息を強く吐く。この点を意識するだけで、早口言葉の成功率は驚くほど上がります。

はじめは単語の頭で短く強く吐くことに集中し、慣れたら徐々にスピードアップ。難しく思えた早口言葉も、意外なほどあっさり言い切ることができるはず。腹式呼吸を使えていないと強く吐けないので、滑舌と呼吸を同時に鍛えられるのも早口言葉のいいところ。

単語の頭で息を吐くトレーニングは、次の第5章でもくわしく行います！

■滑舌と呼吸が同時に鍛えられる早口言葉集

「単語の頭」で強く短く息を吐くように心がけ（154ページ参照）、はじめはゆっくりめの速度からスタート。焦らず、正しい発音発声の「癖づけ」をすることが大切。お腹がへこむぐらい強く吐く癖をつけてしまえば、早口言葉だけでなく、**普段の仕事のときにも噛むことが少なくなります。**子どものころの言葉遊び感覚で、楽しくトレーニングしましょう！

歌うたいが歌うたいにきて歌うたえというが
歌うたいがうたうだけ歌うたえれば歌うたうが
歌うたいだけ歌うたえぬから歌うたわぬ

菊栗(きくくり)菊栗三(み)菊栗　合わせて菊栗六(む)菊栗

京の生鱈（なまだら）　奈良の生まな鰹（がつお）
親切診察室視察　最新式写真撮影法

瓜売り（うりう）が瓜売りに来て　瓜売り残し
瓜売り帰る　瓜売りの声

この竹垣に竹立てかけたのは
竹立てかけたかったから　竹立てかけたのです

抜きにくい釘（くぎ）　引き抜きにくい釘　釘抜きで抜く釘

農商務省特許局　日本（にっぽん）銀行国庫局

いい声の効果をさらにアップする「3つの笑顔」

舌の筋肉と表情筋をほぐし、繰り返し動かすことで筋力も向上。積み重ねてきた滑舌トレーニングをビジネスの現場で120%生かすため、最後は「笑顔」で総仕上げ。

ビジネスでいい結果を出すために笑顔は不可欠ですが、むやみやたらに思い切り笑えばいいわけではありません。職業や場面に合わせて、**「3つの笑顔」**を使い分けることが大切。

口を閉じた状態で口角がふんわり上がり、目尻は下がった**「サイレントスマイル」**。上の歯だけ見える程度に口を開き、目尻に少しシワができる**「スタンダードスマイル（ハーフスマイル）」**。上下の歯が見えるほど大きく口を開け、目もほとんどつぶってしまう**「ビッグスマイル（フルスマイル）」**。

たとえば、初対面の営業パーソンがいきなりビッグスマイルで話しかけてきたらどうでしょう。信頼どころか、「ちょっと怪しいな」と感じてしまいます。就活の面接時も、大口全開で笑うのは避けたほうがいいですね。

逆に、接客業などで口角が上がる程度のサイレントスマイルでは、「無愛想」に受け取

「3つの笑顔」を使い分けよう！

サイレントスマイル
口は閉じて目尻が下がる

スタンダードスマイル
上の前歯が見え目尻にシワ

ビッグスマイル
口全開で上下の歯が見える

られてしまうことも。笑顔もTPOが肝心。場面に合っていない笑いすぎは禁物ですが、普段、笑顔を意識していない人の場合、「足りていない」ことが多いようです。

本人は笑っているつもりでも、**ビジネスの武器とするには、もう一段階上の笑顔が必要**ということ。とくにビッグスマイルは、意識をしていないと難しいでしょう。

画面越しやマスク越しのコミュニケーションでは、笑顔は伝わりにくくなりますので、なおさら意識することが大切です。

TPOに合った笑顔ができれば、おのずと声も場面に合ったものに近づいてきます。声も表情も、等しく重要なコミュニケーションツールです。

Column 3

「滑舌」を改善して社内コンペに勝利した女性編集者

某教育系出版社に勤務する30代後半の女性、仮にTさんとしましょう。彼女は職場で自分の能力が発揮し切れていないと感じていました。

書籍編集者として、短くないキャリアを持つTさんの仕事ぶりは、社内でも評価されていました。しかし、本人には「自分の企画が採用されにくい」という不満も。企画の内容には自信がある。しかし、男性に囲まれる企画会議でTさんの発言はスルーされがちに。

これは、女性に対する差別といった話ではなく、単純に「声」の問題でした。本人にも自覚があり、聞き取りにくい声は、彼女のコンプレックスにもなっていました。

出版社の企画会議に限らず、各々が企画を持ち寄るコンペティションでは、企画能力はもちろんのこと、プレゼン能力が採用、不採用に大きく影響します。

プレゼン能力を上げるためには、聞き取りやすく、説得力のある声が不可欠。実際、Tさんも上司から「何をいっているかわからない。もっとはっきりいえ！」とプレゼン中に叱責されたことも。

一念発起して「声トレ」に通い始めたTさん。声を聞き取りにくくさせる理由は人それぞれですが、彼女の場合、滑舌の悪さがいちばんの原因でした。企画が通らず自信を失っているせいか、笑顔の少なさも気になりました。

そこで、**舌と表情筋の動きをなめらかにし、それぞれの筋力を重点的に強化。自然な笑顔を増やすべく、口角を上げるエクササイズも。**

滑舌のトレーニング効果は短期間で表れやすいこともあり、スクールにやってくるたびに聞き取りやすい声をマスターしていったTさん。「声トレ」を始めて3か月ほどたつと、職場での成果も表れ始めました。

彼女が最も気に病んでいた「企画」が採用されるようになったのです。企画会議でも、「とてもわかりやすく、誰より説得力がある」と高評価。**声が通りやすくなったおかげで、企画会議以外の場面でも、発言の影響力が大きくなったそうです。**

そう報告してくれた彼女の表情が、初めてスクールにやってきたときとは別人のように明るくなったのが、私としてはいちばんうれしい成果でした。

VOICE

第5章

「1日1分」で
声が生まれ変わる!
「発声」トレーニング

「発声」トレーニングで声がよくなるメカニズム

自分の声を録音し、仕事を意識しつつ聞いてみる

録音された自分の声を聞いて、違和感を覚えたことはありませんか？

これは声の伝わり方の違いのせい。普段、自分が発し、耳にしている声は、体の骨伝導（こつでんどう）で入ってきた音。一方、録音された声は、空気を伝わって聴覚に響いたもの。そして、この空気から伝わってきた声こそ、周囲に聞こえている**「本当の自分の声」**なのです。

自分の声への認識不足に関しては、私自身、苦い経験があります。ビジネスパーソン向けのボイトレスクールを始めたばかりのころ、生徒さんを集めるために無料のセミナーを開きました。

私の人生がかかったチャレンジでもあったので、一生懸命に話し、体験してもらいました。しかし、セミナー後の受講申し込みはなんとゼロ！　さすがに落ち込みましたね。改善点を見つけるべく録画した映像を見て、はっとしました。**普段、友人と話すときの私の声はわりと高いほうで、いわゆる「キャピキャピ系」のかわいらしい声**。セミナーでもそのままの声を使っていたため、言葉に重みがなく、説得力が足りていなかったのです。

大反省した私は2音分、声を低くして、2回目のセミナーに臨みました。結果は、セミナーの最中からわかりました。参加者の集中度が、前回とはまったく違ったのです。そして、セミナーが終わるや否や、次々に受講の申し込みをいただきました。


自分の声を録音し、それぞれの「仕事」を意識しながら、あらためて聞いてみてください。ふさわしい音程を使っているか、とても大切な気づきがあるはず。

録音する機器はなんでも構いませんが、スマホのボイスメモアプリが便利。とくに声の波形が表示されるものがおすすめ。**メーターの振れ方で、腹式呼吸ができているかチェックできるのです**。メーターの動きが小さいときは、胸式呼吸になっているということ。トレーニングにも、ぜひ活用しましょう！

「単語の頭で息を吐く」だけで声は激変する！

呼吸や滑舌の弱点を克服したら、あとは**日ごろ会話をするときに、ちょっとした「意識」を加えるだけで声は激変します**。

意識を置くポイントとして、とても重要で、かつ簡単に取り入れられるのが、「単語の頭で息を吐く」ということ。早口言葉を使ったトレーニングでも紹介しましたね。

左のページに例文があります。とくに意識せず平坦（へいたん）に読んだ場合と、傍点の箇所（単語の頭）で息を吐くように意識した場合と、スマホの録音機能などを使って聞き比べてみてください。**単語の頭を意識したほうが明らかに聞き取りやすいはず。**

息を吐きながら発した音は、粒立って人の聴覚に届きやすくなります。そのため、単語の意味がきちんと伝わり、文章全体も滞りなく理解されるようになるのです。

また、短く区切って息を吐くと、途中で息切れしたり、噛んでしまったりということがなくなります。強く吐くことを意識するので、腹式呼吸になりやすいというメリットも。

2〜6音の単語で区切るのがポイント!

あきたけともこです
よろしくおねがいします

傍点の箇所で息を吐くと、断然聞き取りやすくなる!!

意識をするだけとはいっても、効果が出なければ意味がありません。息の量、強さは、少し大げさに感じるぐらいでOK。

このとき、**息を吐く箇所は2〜6音で区切るようにしましょう。**たとえば、「たのしいことだね」という8音のフレーズの場合、声がいい人なら、はじめの「た」で強く吐くだけでも聞き取りやすく話せるかもしれません。しかし、滑舌や声の通りに自信がない人は、「たのしい」と「ことだね」を分割し、「た」と「こ」で吐くほうがベター。

電話やオンライン、マスク越しの会話は言葉がぼんやりしやすいので、とくに「単語の頭で吐く」を意識する必要があります。

「伝わらない声」はトーンを上げるだけで生まれ変わる

追加注文がしたくて必死に店員さんを呼んでいるのに、まったく気づいてくれない。無視されているような気分にも。「居酒屋あるある」ですね。

そんなときは、**声のトーンを少し高くしてみましょう。**大声で叫んでも気づいてくれなかったのがウソみたいに、あっさり振り向いてくれるはずです。

人の聴覚は、ザワザワと雑音がある場所では、低い音が聞き取りにくくなるという特性があります。パーティー会場などで、話し相手の声が聞き取りにくくストレスを感じたときは、そのストレスを先方に感じさせないためにも、声のトーンを少し上げるようにしましょう。電話やオンラインでのやり取りでも同様です。

それとは逆に、**高齢者と話をするときには、やや低めの声を使う。**年を取ると、高い周波数を聞き取るのが難しくなります。耳元で大声を出すより、まず声の高さを落とす。相手に聞き取りやすい声を出すことが、円滑なコミュニケーションには大切です。

相手が聞き取りやすいように「声の心づかい」を

騒がしいパーティー会場では声が聞き取れずイライラ

意識して高い声を出すようにすれば会話がスムーズに

耳元で大きな声を出されれば誰でも不快に

高齢者には低めの声で話しかけましょう!

TPOで使い分けたい「3つの発声法」

相手や場面によって声の高さを使い分けるためには、いろいろな高さを自在に出せるようにする必要があります。ひとつのやり方が「**3つの発声法**」による使い分けです。

声の出し方は、音を響かせる場所によって「**チェストボイス**」「**ノーズボイス**」「**ヘッドボイス**」の3つに大別できます。チェストボイスは、その名のとおり胸のあたりで響かせる低い声。安心感や説得力を生みやすく、プレゼンや交渉ごとなどでぜひ活用したい声。

鼻の奥のほうで響かせるノーズボイスは柔らかい音になるため、やさしい印象を与える。音の高さは、チェストボイスよりやや上。普段、とくに意識せず話しているときは、この高さを使っている人が多いでしょう。

さらに高い声を出すときには、ヘッドボイスです。頭のてっぺんで響かせ、そこから遠くに音を投げるように声を出します。**自分の存在をアピールしたいときに使うと効果的。**

左のページのポイントや、174ページの「動物鳴きマネ法」、184ページの「鼻つまみチェック法」などを参考に、3つの声を使い分けられるようにしましょう！

「3つの声」の出し方のポイント

チェストボイス

胸に手を当てながら、腹式呼吸で「アー」と声を出す。少しずつ音程を変えていき、手に伝わる振動がいちばん大きくなる高さがチェストボイス

振動が最大になる高さを覚える

ノーズボイス

鼻の奥に響かせるイメージで「ンー」とハミング。鼻で響く感覚をつかんだら、ハミングを「アー」と声に変える。鼻に空気を当てるような感じ

ハミングで鼻の奥で響く感覚をつかむ

ヘッドボイス

「ンー」とハミングして音程を上げていく。やがて頭で響くようになるので、その高さで「アー」と声を出す。頭の頂点から声を発射するイメージ

目をぱっちり開くと出しやすい

「表情のある声」を出す抑揚のつけ方

仕事柄、プレゼンテーションや講演を見る機会が多いのですが、「もったいないな」と感じることが多々あります。話の内容はとても興味深いのに、話し方が一本調子になっているせいで、聴衆を十分に惹き込めていないのです。

この本では、「よく通る声」や「聞き取りやすい滑舌」の獲得を目標に、ビジネスパーソンに向けた「声トレ」を行ってきました。もちろん、それらは非常に重要で、あらゆる職種に通じるビジネススキルとなるでしょう。

しかし、そこで満足してほしくないというのが、私の正直な思いです。**もっと上を目指し、もっといい仕事をして、もっと年収をアップさせてほしい！**

声や話し方を通じて「そこ」を目指すのなら、声の「表情」にも目を向けましょう。声の表情を豊かにする方法はさまざまですが、**「緩急」「強弱」「間（ま）」**をつけることで、話に**「抑揚」**を持たせるのも欠かせないポイントです。

話し始めはゆっくり、徐々に速度を上げて緊張感を高めていく。大事な言葉の前で、もったいをつけるかのように間を取る。話に集中させたい箇所で、あえて声を小さくする。

こうした抑揚をつけることで、聞き手の耳と心を魅了するのです。

最近の言葉でいうのなら「エモい話し方」ということでしょうか。感情に強く訴えかける話し方をすれば、話す内容も100%、120%伝わるようになります。

シャイな国民性もあってか、欧米人と比べて日本人は抑揚をつけて話すのが苦手なようです。人前で話す機会が多い職種の人でさえそうなのですから、もともと話すのが苦手な人は推して知るべしです。

また、頭がいい人ほど間を取って話すことができません。次々言葉が湧き出てくるため、マシンガントークでいいたいことを並べ、聞き手を置いてきぼりにしてしまう。

会話のなかに挟む、ほんの1秒ほどの間は、聞き手が話を理解するのを待つ時間でもあります。いうなれば、相手に負担をかけないようにする「思いやりの間」です。

会話はキャッチボール。投げたボールをしっかり受け取ってもらうためには、相手のことを考え、キャッチしやすいように投げることが大切です。

「声を最適化」するテクニック

声を武器にビジネスで最良の成果を出すためには、TPOに応じて声の高さ、話す速度、発声の強弱などを調整し、**「声の最適化」**を図ることが重要です。

しかし、その場その場、一人ひとりに合わせた話し方を見つけるのは、一朝一夕にできるものではありません。経験の少ない業務やつきあいの浅い相手ならなおさらです。

最適な声を探すときに役立つテクニックが**「ペーシング」**です。ゆっくり話す人にはゆっくり、せっかちに話す相手ならこちらもそれなりの速度で、向こうのペースに合わせて話す。これだけでも「話しにくい」「噛み合わない」といったネガティブな印象を持たれるのを防ぐことができます。

さらに、**声の大きさ、言葉づかい、身振り手振りなども合わせれば、相手は無意識のうちに一体感を覚え、安心して話をしてくれるようになります。**

大切なのは、自分が話すことばかりに気を向けず、相手の話をよく聞くこと。これは、それぞれの職種、職場に合った声を身につけるときにも役立ちます。たとえば、女性客の多い美容院のスタッフに、体育会系の男性的な声は合いません。また、事務系の堅い職場のOLが、女子高生のような軽いノリで話していたら周囲から浮いてしまうでしょう。

ここでもペーシングの要領で、先輩たちの話し方をよく聞き、その職場に適した声の高さや話し方を覚えていけばいいのです。

似たような会話のテクニックとしては、相手の言葉をそのまま繰り返す**「リフレクティング」**も。たとえば、こんな感じです。

相手「滑舌が悪く、聞き返されることが多いのが悩みでした」

自分「そうですか。聞き返されることが多くて、ずっと悩んできたんですね」

一見、オウム返しをしているだけで、きちんと話を聞いていないように思えるかもしれません。しかし、**よほどそっくりそのままの言葉でない限り、相手は「自分の話に共感してくれている」と感じ、距離をグッと縮めることができます。**

ペーシングやリフレクティングは、プライベートのコミュニケーションでも練習、実践可能。普段から意識するようにしましょう。

あいさつの「お」をしっかり発声して印象アップ！

会話が少ないデスクワークでも、毎日必ず使うのが「あいさつ」。そして、**あいさつの頭にいちばん多く登場する音が「お」です。**おはよう、おかえり、おやすみなさい。母音が「お」の「こ」や「ご」なども、あいさつの1文字目になりやすいですね。こんにちは、ご無沙汰しています、それではまた。

日本語のあいさつに欠かせない、この「お」という音は、あいうえおの母音のなかで最もこもりやすい音でもあります。意識してしっかり息を吐き、強調するぐらいの気持ちで発声しなければ、ボソボソとしたやる気のないあいさつになってしまいます。

あいさつはコミュニケーションの基本で、人間関係の「入り口」ともいえます。**明るく、力強いあいさつで始まったコミュニケーションは好印象をつくり、仕事でもプライベートでも良好な人間関係を築く助けとなるでしょう。**

あいさつの「お」を明瞭に発音するには、170ページの「ゲンコツ含み法」がおすすめです。

あいさつの印象は「お」で決まる

使う機会はとても多いのに、こもりやすく、難易度が高い「お」の音。しっかり息を吐くのと同様、「喉を開く」のも明瞭に響かせるポイント。喉を開くトレーニング「ゲンコツ含み法」は170ページで詳しく紹介しています!

おはようございます

おめでとうございます

お疲れさまでした

お願いします

お久しぶりです

お世話になります

こんにちは

こんばんは

ごちそうさまでした

こちらこそ

それではまた

よろしくお願いします

楽しみながらトレーニングできる「○○発声法」

1日1分「発声」の声トレ①

吐く息を強くする「ホの三三七拍子法」

腹式呼吸ができるようになっても、発声に活用できなければ「声トレ」としては意味がありません。横隔膜が肺から押し上げた空気を、単語の頭でしっかり吐くトレーニングなら、「ホ」の三三七拍子です。「ハ行」をきちんと発声しようと思うと、とても多くの息を使います。なかでもオ段の「ホ」はこもりやすく、より強い息が必要。

五十音中でとくに発声しにくい「ホ」でトレーニングを積めば、そのほかの音は余裕で力強く発声できるように。単語の頭でも、強い息が吐きやすくなります。

大きな声が出せない場所では、丸めたティッシュを口に含んで行えば、ティッシュが消音材代わりになる上、息が吐きにくくなってトレーニングの負荷を上げる効果も。

「ホ」はたくさんの息が必要でこもりやすい

おへその上下に手のひらを当て、腹式呼吸でへこむのを確認しながら、「ホッ」で強く短く息を吐く。息継ぎは三拍子のあとそれぞれと、七拍子のあと。たくさんの息を強く吐いていれば、七拍子をひと息で発声するのはなかなかつらいはず。約７秒かけて三三七拍子を１セット、１分間に８セット。

1日1分「発声」の声トレ②

声を美しく響かせる「マーライオン発声法」

動画Ⓔ
(P222参照)

肺のなかの空気が横隔膜に押し上げられ、気管や声帯を経て口から出る。声を出すときの息の流れは、シンガポールのマーライオンが水を吐き出すしくみとそっくりだということは、第3章でも紹介しましたね。

水を吐き出すマーライオンをイメージし、そのイメージに体もリンクさせて動きをつけると、声帯に当たってできた「声のもと」を頭のあたりで響かせて口から出すための、うってつけのトレーニングになります。

この「声トレ」の狙いは、**声を「美しく響かせる」こと**。ギターが美しい音を響かせるのは、爪弾(つまび)いた弦の振動をサウンドホール(ボディーにある空洞)で共鳴させているから。

人間の声も同じで、声帯を弦とするなら、サウンドホールは鼻腔や口腔などの「空間」。

そして、**人間の頭＝頭蓋骨も声を響かせるサウンドホールとして機能しています。**

左のページで解説する「マーライオン発声法」で、声の響かせ方を体感してください!

マーライオンをイメージし 息の流れを体で再現

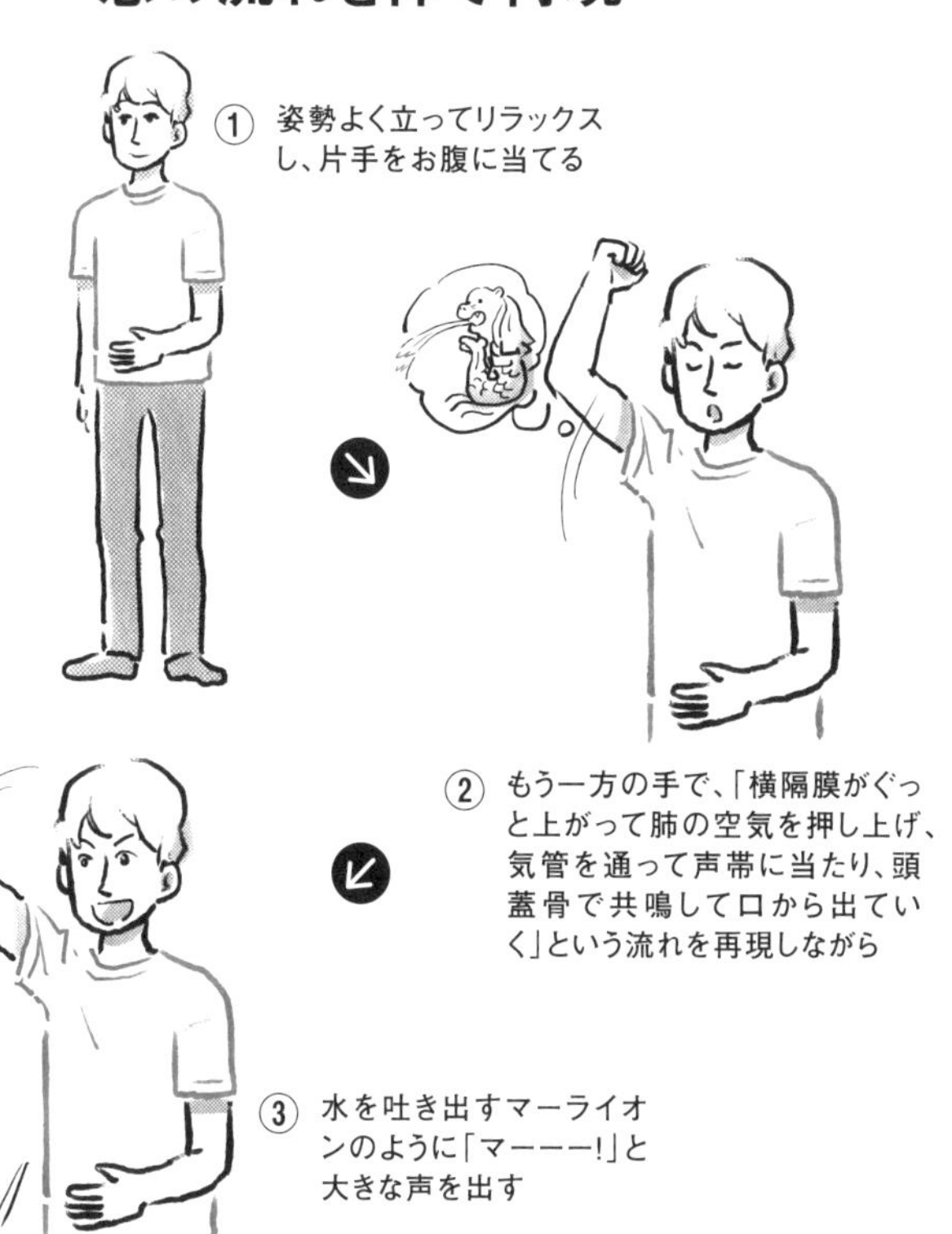

① 姿勢よく立ってリラックスし、片手をお腹に当てる
② もう一方の手で、「横隔膜がぐっと上がって肺の空気を押し上げ、気管を通って声帯に当たり、頭蓋骨で共鳴して口から出ていく」という流れを再現しながら
③ 水を吐き出すマーライオンのように「マーーー!」と大きな声を出す
マーッ!!

五十音のなかでも「マ行」はとくに鼻に響かせやすい音で、「声を体で共鳴させる」感覚をつかむのにはぴったり。くしくも、マーライオンをイメージしながら「マー」と発声するのだから、とても覚えやすいですね。何回か練習していくうちに、頭で響かせる感覚もつかめるようになります。３秒かけてゆったり声を出し、焦らず次の手の動きを準備。一連の動作で５秒、１分間に12回。

1日1分「発声」の声トレ③

喉が開きやすくなる「ゲンコツ含み法」

声を伸びやかに響かせ、声量をアップさせるためには、喉を「開く」ことがとても大切です。私自身、高校、大学時代に声楽を習っていたとき、先生から口を酸っぱくして「喉を大きく開きなさい」といわれました。喉の奥が閉まっていると、声に伸びがなく、つぶれたような汚い声に。何より大きな声が出せないのです。

普段話すときに、喉の開きを意識する人はあまりいないと思います。そこで、まずは喉が開くのを体感してみましょう。**大きく口を開けて、「ふあ～」と声を出しながら大あくびをしてみてください。**これが、喉が開いた状態です。あくびをするときは口が縦に大きく開き、舌根(ぜっこん)も下がるので、喉の奥が自然に開くのです。

喉が開いた状態で声を出すトレーニングには、声楽のレッスンでも実際に行っている「ゲンコツ含み法」がおすすめです。左のページのやり方を見ながら、喉の奥が開く感覚をつかみ、声帯を痛めずに声量をアップさせましょう。

自然に喉が開く「ゲンコツ含み法」

① 片手に握りこぶしをつくり、口を大きく開けて、指2〜3本分を軽く噛む

② その状態を維持したまま、腹式呼吸を使って「オー、オー」と声を出す

腹式呼吸をきちんと意識して、少し高めの音程で。口を大きく開くこと自体、普段はあまりしない動作なので、慣れるまでは無理をしないように。また、大きな声を出すためのトレーニングですので、周囲の迷惑にならない場所で行いましょう。20秒かけて「オー」を10回、少し休んであごをほぐしてからもう10回。

1日1分「発声」の声トレ④

「大笑いスタッカート法」で単語の頭を強く発声する

これまでの発声トレーニングで、しつこいぐらいに繰り返してきた**「単語の頭で息を吐く」**がうまくできない人、やろうとすると息切れしてしまう人は、筋力不足で息を吐く力がまだ弱いのかもしれません。

また、息は「短く、キレよく」吐かなければ、単語の頭の音を粒立たせることはできませんし、息も続かなくなってしまいます。

筋力アップと息の瞬発力を同時に高められるのが、次のトレーニングです。

146ページで紹介した「ビッグスマイル」で大きく口を開き、「ハッハッハッハッハッハーッ！」と高笑いしましょう。「ハハハ」でも「ハーハーハー」でもなく、小さな「ッ」が2つつくぐらいの「ハッハッハッハッ！」。これを「ハッハッハッハッハッハーッ！」と5回ひと息で。お腹の筋肉を鍛え、短く、キレよく息を吐くコツをつかむことができます。

全身運動に近い負荷がかけられるので、**カロリー消費や代謝アップも期待大！**

「大笑いスタッカート」で
短く、強く、キレよく!

おへその上と下に手を当て、腹式呼吸でお腹がへこむのを感じながら、「ハッハッハッハッハーッ!」とひと息で。 最後の「ハーッ」で息を吐き切る。6秒ワンセット、1分間に10回

「スタッカート」とは、音楽の演奏や歌唱で、1音1音短く切って音を出すこと。 体を楽器にして、キレのいい音を奏でましょう。 立った状態でも座ったままでもOKです。

1日1分「発声」の声トレ⑤

「動物鳴きマネ法」で声の高さを自由自在に

「低い声を出すために、胸で音を響かせる」

「口角を上げ、頭のてっぺんから高い声を出す」

理屈ではわかっても、いざ実践するとなると、なかなかうまくいきませんよね。

発声に限らず、体を使った技術のコツを手っ取り早くつかむには、お手本のマネをするのがいちばん。**声の高さのお手本にするなら、「動物の鳴き声」がおすすめ。**

低い声（チェストボイス）のお手本は牛、中間（ノーズボイス）はヤギ、高音（ヘッドボイス）なら猫。だまされたと思って、それぞれの鳴き声をリアルにマネしてみてください。


「モォ〜〜〜」

「メェ〜」

「ミィ〜」


意識せずとも、自然に低い声、中間の声、高い声が再現できているはず。体のどのあたりで響かせれば、どれくらいの高さの声が出るのか、確認しながら繰り返しましょう。

子どもと一緒にできる「鳴きマネ声トレ」

鳴き声のマネは、恥ずかしがらず、リアルに再現するのがポイント。また、鳴き声をマネするだけではなく、その音程のまま「こんにちは」など日常の言葉を発声するのも重要です。牛の鳴き声の高さで「こんにちは」といったとき、体のどの部分で響いているのかを意識し、体に覚え込ませるように心がけましょう。トレーニングは約１分間、回数はとくに気にする必要はありません。

1日1分「発声」の声トレ⑥
「ジュリ扇ヒラヒラ法」で音程を上げ下げする

片手を上下させたり、手のひらを広げたりしながら歌う人を見たことがありませんか？ プロのアーティストでは、平井堅さんも手を細かく動かしながら歌っています。

あれは、単なる振りつけや動きのパフォーマンスではありません。細かな音程の変化を正確にトレースしたり、高い声を出しやすくしたり、苦手な音程を取りやすくしたりするために、意識的、あるいは無意識のうちに手を上下させているのです。

体の動きが音程に影響を与えるということは、音楽業界でもはや常識。そこで、この体のしくみを「声トレ」にも活用してみましょう。

やり方はいたって簡単。**低い声を出すときは手を下げ、高い声は手を上げながら出す。**

これだけで本当に高い声が出やすくなるのだから、人間の体って不思議ですね。

声帯は、音程によって形が変化します。同じ音程しか出さないでいると、使っていない箇所の筋肉が衰え、音域が狭くなってしまいます。いろいろなトレーニングを取り入れ、**できるだけ幅広い高さの声を出すよう日ごろから心がけましょう！**

懐かしの「ジュリ扇」に合わせて声をアップダウン！

① 手のひらを下に向け、体の前で交差させて腰の高さに。腹式呼吸で低い音程の「ア～」
② 交差を戻しつつ手を上げていく。併せて声の高さも上げ、胸のあたりで普段の音程に
③ さらに手を上げていっぱいまで伸ばす。手の動きとともに声もできるだけ高い音程まで

片手を斜めに上下させる動きは、旗を振る動作にも似ています。「旗振り発声法」でもいいのですが、どうせなら楽しくトレーニングしたいもの。懐かしのジュリアナ東京を思い出し、羽根の扇子（ジュリ扇）を大きく振るイメージで。ノリのいい音楽を聞きながら1分間、声と手をアップダウン！　細かな理屈は気にせず、楽しみながら幅広い高さの声を出せばOK!!

さらに豊かな声を出す「〇〇発声法」

1日1分「発声」の声トレ⑦

声帯の振動を確認しながら鍛える「超ロングトーン法」

片手をお腹に片手を喉に当て、**できるだけゆっくり「あーいーうーえーおー」と声を出します。**お腹がしっかりへこみ、喉に当てた手がブルブルッとなるぐらいに強く震えたら、腹式呼吸を使って発声できている証拠。もし、ほんの少ししか振動を感じないなら、まだ胸式寄りの呼吸で声を出しているということです。

同じように、**新聞などをできるだけゆっくり読んでみてください。**1分間に50文字以下の速度で。超ロングトーンの発声は、息も腹筋も酷使するため、1分間続けるとかなりきついはず。1分読んでもまったく疲れないようなら、腹式呼吸を怠けているのかも。

これらのチェック法で、「声トレ」が身についているか、ときどき確認するのも大事。

「超ロングトーン発声」で
「声トレ」の成果をチェック!

声帯がある喉に手を当てて、1音1秒以上の超スローペースで「あーいーうーえーおー」。喉がブルブルブルッと強く震えたらOK!

ロングトーン音読は大きな負荷がかかるため、トレーニング効果も大きい。読了後、「フーッ」と脱力してしまうぐらい追い込む

1〜1.5cmほどの粘膜のひだでできている声帯。呼吸しているとき、声帯の隙間（声門）は開いています。声（有声音）を出そうとするときに声門は閉じ、肺から上がってきた呼気が左右のひだを震わせながら声門の隙間を通り抜け、その振動が「音（声のもと）」になります。声帯の振動で腹式呼吸の強さをチェックできるのも、このしくみゆえ。ちなみに、声を出すときに声門が閉じるのは「有声音」のみ。つまり、声帯の振動を伴わずに声を出すカ行、サ行、ハ行などの「無声音」は、このチェック方法には使えません。

1日1分「発声」の声トレ⑧

「バックブザー法」で息継ぎ上手に

ロングトーンの発声トレーニングを行うとよくわかりますが、**話をしている間というのは、基本的に息を吐き続けています。**そのまま続ければ、やがて息切れし、焦って深く息を吸うことに。息継ぎが下手(へた)な人のスピーチは、聞いているほうまで苦しくなります。

息継ぎに適した箇所は、文章の句読点に当たるところ。ここで**鼻から「スッ」と息を入れるようにすれば、呼吸が安定し、不自然な息継ぎもなくなります。**

息は鼻で吸うのが肝心。口で吸うと胸に力が入り、胸式呼吸になってしまうのです。

肺のなかが空になる前に、こっそり息を補充する息継ぎを**「カンニングブレス」**といいます。カンニングブレスを身につけると、フレーズごとに息継ぎをする癖がつくため、呼吸に落ち着きが生まれ、自然に間(ま)を取ることができるようにもなります。

間が取れると、その時間に頭の整理ができるので、「え〜」や「え〜と」などのムダなつなぎ言葉を入れなくて済むようになります。「え〜」を頻繁に使う人は、息継ぎがうまくないのです。左のページを見て、カンニングブレスをマスターしたほうがいいですね。

トラックの「バックブザー」で「カンニングブレス」をマスター

カリスマ企業家などスピーチが上手な人は、ワンフレーズごとに目立たないカンニングブレスをこっそり入れているため、聴衆が息継ぎを意識することはありません。息切れや意味のないつなぎ言葉もないので、聞く側は雑念に邪魔されることなく話に引き込まれます。

カンニングブレスのトレーニングには、トラックが後退する際に鳴らす「バックブザー」のマネもおすすめ。「プーッ」2回を会話ワンフレーズ分とし、「プーップーッ」のあとに鼻で「スッ」と息継ぎ。1分間行って余裕ができてきたら、「プーッ」3回にも挑戦!

1日1分「発声」の声トレ⑨

キレのいい「大雨&強風法」で喉を鍛える

動画Ⓕ
（P222参照）

声帯の構造をもう少しくわしく。声帯は内側にある筋肉（声帯筋）を粘膜（声帯粘膜）が覆い、縦長のひだ状になっています。唇が縦についている形をイメージするといいかもしれません。その声帯を周囲の筋肉が引っ張り、閉じたり開いたりさせています。

声帯自体も、声帯を動かしているのもほぼ「筋肉」。運動をしないと体の筋肉が衰えて細くなるように、声帯の筋肉も使わなければ細くなり、きちんと開閉できなくなります。

声帯の筋肉を鍛える際も、体の筋トレをイメージするといいでしょう。重いものやマシンで負荷をかけ、筋肉にギュッと力を入れる筋トレの動きを声帯で再現するなら、キレよく短い発声がぴったり。

「あっ！」など、短く強く切って発声するとき、声帯は左右からキュッときつく締まり、ちょうど筋トレを行っているような状態になるのです。

キレのいい発声による声帯の筋トレは、声帯老化の防止にも役立ちます！

「大雨&強風」の擬音で
声帯をキュッと締める

大事なのは、後半の「ザッ!」「ビュッ!」の部分。瞬間的な突風が吹くのをイメージし、腹式呼吸で息を強く吐き、できるだけ短く、強く、キレよく発声するのがポイント。約10秒かけて「ザーザッ!×3　ビュービュッ!×3」をワンセットとし、1分間に5～6セット。「動物鳴きマネ法」同様、子どもたちと一緒にできそうですね。

1日1分「発声」の声トレ⑩

柔らかい声を出す「鼻つまみチェック法」

自分はまったくそのつもりがないのに、きつく接しているように受け取られてしまう人は、声が口のなか（口腔）だけで響いているのかもしれません。

逆に、声が過度に甘ったるくなってしまう人、きちんと発声しているつもりでもこもりがちになってしまう人は、鼻で響かせすぎていないか要チェック。

声の印象を柔らかくするには、鼻で響かせたノーズボイスを使うのがいちばんです。

チェック方法は簡単。鼻をつまんで、ちょっとした発声をすればいいだけ（左のページを参照）。もっと鼻で響かせられるよう、あるいは鼻の響きを少し抑えるよう、それぞれの結果に合わせて、いっそうトレーニングに励みましょう。

接客業はもちろんのこと、ほとんどの「ビジネス」は人と接することで成立しています。きつい印象を与えたり、猫なで声を出しているように感じさせたりしては、好結果は得られません。**ノーズボイスで、ちょうどいい「柔らかさ」を身につけたいものです。**

鼻をつまんで響きの量をチェック

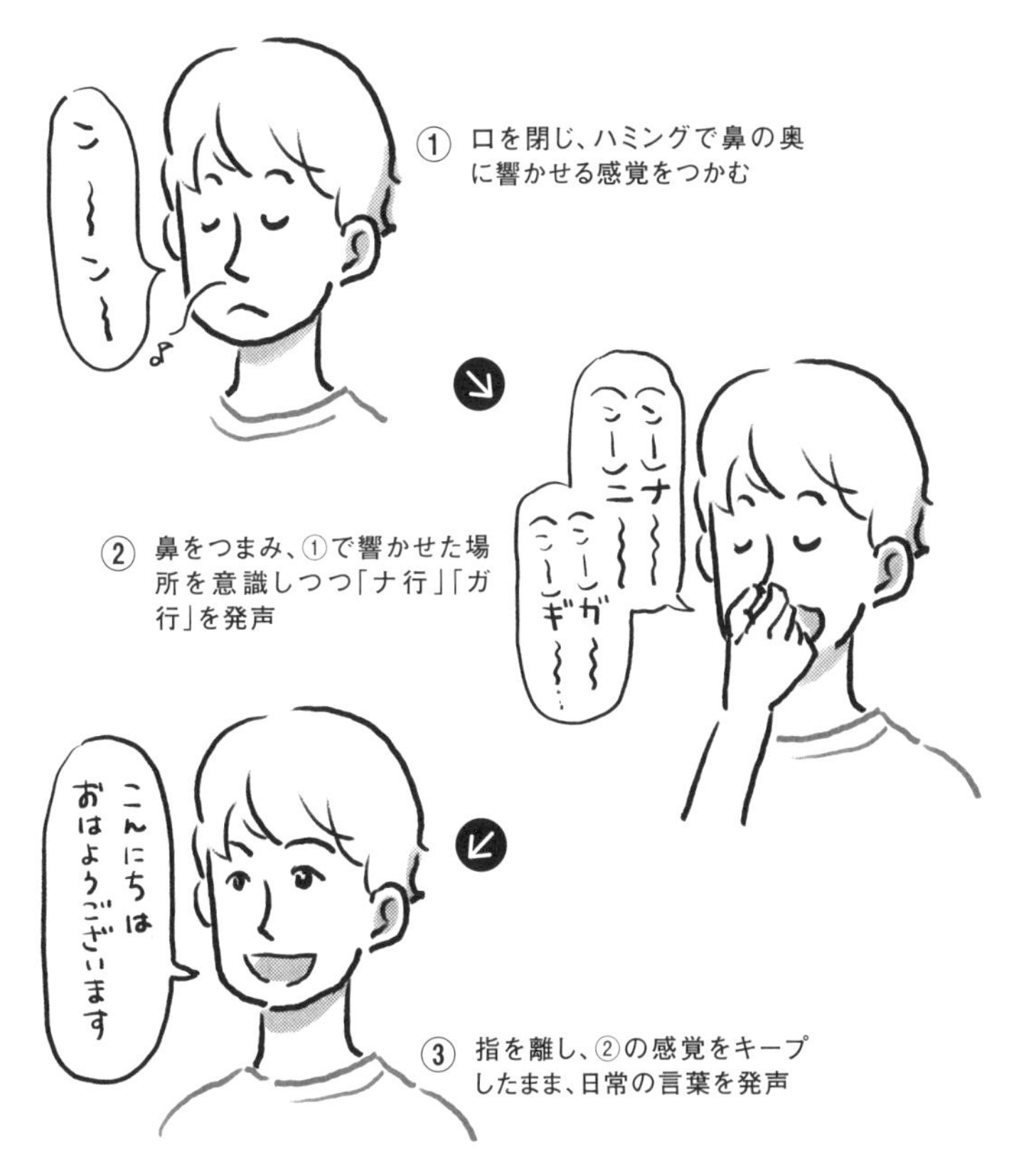

鼻で響かせる感覚をつかむにはハミングが最適です。ちゃんと鼻で響いているか、あるいは響きすぎていないかをチェックするときは、鼻をつまんで振動の大きさを確認。もちろん、口を閉じたまま鼻をつまめば呼吸ができませんので、このときは口を開いて発声します。鼻から声を出す「鼻音（ナ行など）」「鼻濁音（ガ行など）」を使うと、鼻で響いている感覚がつかみやすい。ハミングの「ンー」から、「ナー」「ガー」に移行させるのがコツ。

Column 4

「発声」を見直して「軽さ」を克服したIT営業マン

接客業や営業の仕事では、お客さんに与える印象が何より大事です。ただ、同時に、「上司」からの評価が出世に大きく影響するのも事実。

ＩＴ関係の営業マン、Ｈさんが私のスクールにやってきたのも、上司からのひと言がきっかけでした。

「お前は話し方が軽いんだよ。頼りになる感じがしない」

上司から直接注意され、さすがにＨさんも「なんとかしなければ！」と思ったそうです。スクールでその声を聞かせてもらうと、たしかにすごく軽かった（笑）。

私がいちばん気になったのは話す「速度」。とても早口で、次々に言葉が出てくる。これだけのスピードで言葉を並べられるのだから、頭の回転は速いのだと思います。しかし、早口すぎて落ち着きがないゆえ、ともすると「ペラペラ」と話しているような印象にも。

「話を聞き返されることはありませんか？」

尋ねてみると、案の定、頻繁に聞き返されるため、滑舌を気にしていたそうです。

Hさんの滑舌は、それほど悪いほうではありません。ただ、早口すぎるため相手が話についていけず、「すみません、もう一度お願いします」と聞き返すのです。また、早口な人にありがちなのですが、Hさん本人は、それほど早口になっているという自覚がない。せっかちな人も、早口になりやすい傾向があります。しかし、実は早口こそ時間のムダづかい。いくら急いで話しても、聞き返されてしまう分、時間は余計にロスします。

もともと頭の回転が速いHさんですから、これらの早口のデメリットを説明すると、すぐに理解してくれました。そして、**本人は「遅すぎる」と感じるぐらいに速度を落とす癖をつけ、相手が理解する時間を待つ、間の取り方もトレーニングしました。**

数か月たったある日、上司から「お前、話し方が変わったなぁ。それなら、お客さんにも信頼してもらえるだろう」と声をかけてもらったというHさん。実際、話す速度を落とすように意識してから、営業成績は明らかによくなったそうです。

上司とお客さんからの評価を上げたHさんは、仕事そのものに対する意識がアップ。**自信や向上心にもつながり、副業で投資も始めたのだとか。**投資の成績まではともかくとして、向上心を持つお手伝いができたのなら、私としても何よりです。

VOICE

第6章

一流経営者が実践！13の「声テク」

いい印象をつくる7つの「声テク」

聞き取りやすい敬語表現は「サ行」がポイント

もともと聞き取りにくくなりやすい日本語。「雨」と「飴」のように、音の高低で意味を使い分ける言葉が多く、アクセントを入れる必要がないため、息に勢いが出ず、不明瞭になりやすいのです。聞き取りにくい声の多くは、「胸式の浅い呼吸」という悪癖を直し、**「単語の頭で強く吐く」**癖をつければ、かなり改善することができます。

この「日本語特有の難しさ」を、さらに実感するのがビジネスの現場です。

ひとつは**敬語表現の使い分けの難しさ。**目上の人を敬う「尊敬語」、へりくだって表現する「謙譲語」、言い回しを丁寧にする「丁寧語」など、複雑な敬語表現をシーンや立場に合わせて使い分ける必要があります。

とくに尊敬語と謙譲語は、家族や友人との日常の会話ではほぼ使うことがないため、「○○さんは何時ごろに参られますか？」「その件はお聞きしています」など、誤った使い方をしてしまうことも。正しくは、それぞれ「何時ごろお見えになりますか？（尊敬語）」「その件はうかがっています（謙譲語）」となります。

敬語表現には「サ行」が多い点も、ビジネスの会話を聞き取りにくくしている要因です。

「～させていただきます」は取引先や顧客に対してよく使われるフレーズですが、この「させ」の部分が厄介。「サ行」は「摩擦音」といって、クリアな発音がとくに難しい音。その上、「させ」と2音続くため、プロのアナウンサーでえ、「さしぇていただきます」などと噛んでしまいがちな言い回しなのです。

また、サ行は加齢によっていっそう発音しにくくなります。十分な摩擦がつくれず、息が抜けたように「サシスセソ」が「シャシシュシェショ」になってしまう場合も。

サ行を聞き取りやすく発音するためには、舌の筋肉を鍛えて動きをなめらかにすることと、単語の頭で強い息を吐き、勢いのある発声を心がけること。とくに後者が重要です。

あいさつは「2音目」、自己紹介は「1音目」が重要

ポーランド出身の心理学者ソロモン・アッシュが提唱した「初頭効果（プライマシー効果）」とは、最初に与えられた情報が長期にわたって引き継がれ、のちの評価に影響を及ぼす現象のこと。一説によると、第一印象が悪いと、その後7年間は挽回（ばんかい）が困難とも。ビジネスにおける7年は、もはや致命的といえます。

では、ビジネスの現場でいい第一印象を与えるためには、何が重要でしょうか？服装？清潔感？もちろん、外見が与える印象は小さくありませんが、服装などは均一化されやすい面もあり、個々の差は意外と出ないものです。

答えは、**「あいさつ」**と**「自己紹介」**。この2つで失敗すると、好印象は望めません。

あいさつには、その人の仕事への姿勢そのものが表れるもの。私の知る限り、一流のビジネスパーソンに、あいさつを疎かにする人は、たったのひとりもいません。

いいあいさつには、よく通る明るい声が不可欠です。加えて、「これをするだけで、感

じのいいあいさつになる」という、ちょっとしたテクニックも覚えておきましょう。

「いらっしゃいませ」「おはようございます」「ありがとうございました」

傍点の部分、2音目を少し高めに発声するだけで、印象は劇的によくなります。


一方の自己紹介は、決まったフレーズを使うことが多いため、ひと息でいってしまいがちですが、実はこれがNG。いう側は何度も繰り返した内容でも、相手にとっては初めて聞くこと。一気にいわれると聞き取りにくく、名前も会社名も頭に入ってきません。

自己紹介は、単語で区切り、それぞれの頭で強く息を吐く。これはマストです！

「ビジネスボイストレーニング　スクールの　あきたけ　ともこです」

これだけで、相手は聞きやすくなり、名前もちゃんと覚えてくれます。

自己紹介に苦手意識を持つ人ほど、「何をいうか」ばかりを気にしがちですが、**自己紹介で大切なのは、「何をいうか」ではなく、「どのようにいうか」**。「何をいうか」には自分をアピールしたいという気持ちが込められている一方、「どのようにいうか」には「聞き取りやすさ」という相手への心くばりが見て取れます。

この心くばりこそが、いい自己紹介と悪い自己紹介の最大の差だと、私は考えています。

プレゼンで声がかれる人はあごを少し引く

プレゼンや講演で長時間話す機会が多い人、電話応対をしている時間が長い人に定番の声の悩みが、「喉が疲れる」「声がかすれる」です。

声がかすれる原因は、「胸式呼吸」「声帯老化」「生活習慣」など、いくつか考えられますが、**すぐにチェックでき、修正もしやすいのが「あごの位置」**。あごが上を向いた状態で話すと、表情筋のひとつ「胸鎖乳突筋」（123ページ参照）を中心に首周りの筋肉が緊張し、喉を圧迫。声帯に余計な負担がかかり、声がかすれてしまうのです。

太って首に贅肉（ぜいにく）がついている人、逆に首を鍛えて筋肉がついている人、老眼であごを上げる癖がついてしまった人。大本の原因はそれぞれですが、**あごを引いて話す癖づけをすれば、首周りの筋肉がゆるみ、声帯に余計な負荷がかかることはなくなります。**

もちろん、あごの引きすぎは禁物。あごに押されて喉が窮屈になり、これもまた声帯に負担をかける要因に。**つむじに頭を真上に引っ張られるように姿勢を正した状態が、あごも少し引いたベストポジションになっているはずです。**

上向きはもちろん、引きすぎもNG!

コールセンターのオペレーターなど、長時間の発声が避けられない人は、デスクに鏡を置き、話しているときのあごの位置をときどきチェック。常にいい仕事ができるように、喉の負担をできるだけ減らしましょう!

好感度が上がる「あいづちの小技」

いい声や話し方をマスターすると、身につけたスキルを生かしたいあまり、つい自分が話すことばかりに夢中になってしまいがち。これでは本末転倒です。

目的は、仕事で好結果を生むこと。もっと端的にいえば、**年収を上げることです！**「いい声を聞かせる」ためではなく、「いいコミュニケーションをつくる」ため、声を武器にするのだということを常にお忘れなく。いいコミュニケーションを生むためには、話しかけることと同じ、あるいはそれ以上に**「聞くこと」こそが重要！**

もちろん、ただじっと耳を澄まして聞いていればいいわけではありません。聞いているだけでまったく反応しないと、「ちゃんと聞いている?」「同意していない?」という不安を相手に感じさせてしまいます。

相手が投げたボールをしっかり受け取っていることを伝え返すには、「あいづち」が大切です。そして、このあいづちも、単なる合いの手として入れておけばいいわけではなく、相手の好感を呼ぶテクニックがちゃんとあります。

まず、同じ言葉を繰り返さない。「はい」「なるほど」「たしかに」などは、いずれも肯定的な意味合いを持つあいづちですが、どれかひとつを繰り返していると、逆に「適当に流している」という否定的な印象を与えかねません。**あいづちのバリエーションはできるだけ多く、人があまり使わないフレーズを持っているとなおいいですね。**

また、「そうなんですか」というあいづちにも要注意。抑揚や表情の動きが付随すると、相手の話に感心している印象になりますが、無表情で平坦に返すと「興味がない」「話は一応聞いたけれど、共感はしない」という意思表示に受け取られることも。

言葉にするほどでもない、ちょっとしたあいづちには、「はぁ」「へぇ」「ほぉ」「ふぅむ」などの「感嘆詞」もよく用いられます。**実はこの感嘆詞、「ハ行」ではなく「ア行」で発声すると、より強く「興味を持って聞いています」「あなたの話に感心しています」という意思を伝えることができます。**

「はぁ→**あぁ**」「へぇ→**えぇ**」「ほぉ→**おぉ**」「ふぅむ→**うぅむ**」

一流のビジネスパーソンなら意識もせずに行っていることですが、些細（ささい）なことだけにできていない人が意外と多いのです。

呼吸と発声で「相互共感関係」をつくる

その場に合った話し方をする方法として、162ページでも紹介した「**ページング**」。カウンセラーやセラピストも活用している実践的テクニックで、上級者は話す速度だけでなく、声の音程や大小、呼吸のリズムも合わせています。

ページングで得られるいちばんの効果は、声や呼吸をシンクロさせることで一体感を生み出し、互いに「共感」しやすい関係をつくること。

商品を購入してもらう、企画に賛同してもらう、能力を信頼してもらう。どのようなビジネスシーンでも、「共感」を得ることができれば、目的達成に近づいたも同然です。

このときに注意すべきなのが、「共感してもらいたい！」と、自分の都合に頭が行きすぎないこと。やや逆説的になりますが、**相手に共感してもらうためには、まずこちらが「共感している」と示し、しっかり伝えることが大切。**

こちらが好意的でない気持ちで接していると、たいていは相手も同じようにこちらを見

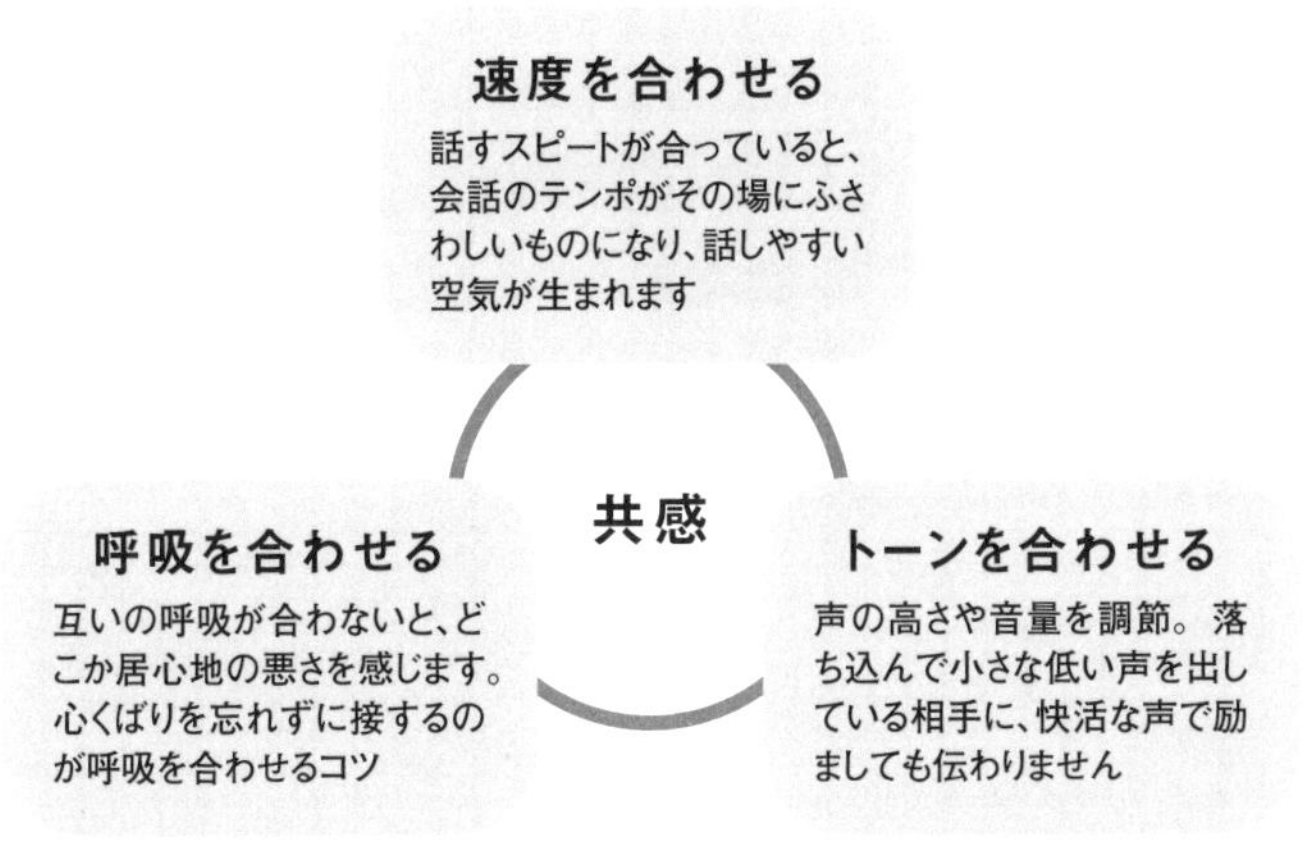

速度を合わせる

話すスピートが合っていると、会話のテンポがその場にふさわしいものになり、話しやすい空気が生まれます

共感

呼吸を合わせる

互いの呼吸が合わないと、どこか居心地の悪さを感じます。心くばりを忘れずに接するのが呼吸を合わせるコツ

トーンを合わせる

声の高さや音量を調節。落ち込んで小さな低い声を出している相手に、快活な声で励ましても伝わりません

ているもの。同じように、こちらが好意や共感を示せば、自然に相手も同様の感覚を抱いてくれます。このポジティブな連鎖を導くのがペーシングだと考えるといいでしょう。

共感を示し、共感を抱いてもらうために相手にシンクロさせるポイントは、**「速度」「トーン」「呼吸」**の3つ。

話すスピードを合わせ、声の高さやボリュームも、相手の状態を見て調節。向こうが大きく息を吸ったときはこちらも吸い、深いため息をついたらこちらも息を吐く。そうしているうちに、呼吸のリズムも合ってきます。

プライベートでも、落ち込んでいる人を励ましたいときや、喜びを祝福したいときなどに活用できるマル秘テクニックです。

「大きな声」と「小さな声」を使い分ける

「声が大きな人の意見が通る」

世の中の理不尽さや不平等さを表し、このような言い回しが使われることがあります。たしかに、意見の内容ではなく、声の大きさで物事が決定していくのは理不尽であるようにも感じます。しかし、ビジネスの現場でそうした状況は少なくなく、「理不尽」のひと言では片づけられない面もあります。

声が大きいというのは、単純に音量の問題だけでなく、よく通る、聞き取りやすい声ということ。また、自分の意見に対する自信や説得力が、声の大きさに表れている場合も。仕事相手にとっても、ボソボソと自信なげに話す人より、力強く快活に話す人に好印象を抱くはず。声の大きさは仕事の内容にも無関係とはあながちいえないのです。

自分の意見を通し、いい仕事をしようと思ったら、よく通る大きな声は武器として持っておくべし。本書で紹介している数々の「声トレ」を行えば、決して難しいことではありません。

大きな声がビジネスの武器になる一方で、ときにその声が「うるさい」「迷惑」「ＫＹ」と取られることも。周囲の目を気にしがちで、個人が目立つことより調和を重んじる日本人は、欧米人と比べてとくにその傾向が強いようです。

もちろん、ＴＰＯをわきまえず、どんな場面でも大声を張るのはいただけません。重要な話をするときや、プレゼンの山場を迎えたときなどに、**あえてボリュームを絞るのも、自分の意見を通しやすくするためのテクニック。**声のトーンを少し抑えると、知的に見えやすいというメリットも。

大きな声と小さな声。両方の武器を使いこなせなければ、できるビジネスパーソンとはいえません。ただ、ひとつ気をつけたいのが、声を小さくすると胸式寄りの呼吸になりやすいという点。

ささやき声ほど喉を痛めやすいのも、胸式呼吸になって声帯に負担がかかる上、声量が落ちて聞き取りにくくなるのを防ごうとして、無理やりに声を絞り出すからです。

声を小さくするときも、腹式呼吸はそのまま。音量は、吐く息の量を減らせば落とすことができます。喉を痛めず、小さくてもよく通る声を出す必修テクニックです。

いいプレゼンを生む「3つのテクニック」

いいプレゼンには、「3つの特徴」があるといわれています。

第1に「**数字を使って、説得力を持たせる**」。第2に「**頭で理解させるだけでなく、心に訴えかける**」。そして、3つ目が「**ドキドキ、ワクワクさせる**」。

これらすべてにアプローチできるのが「声」です。

まず、カ行やサ行が多く、噛みやすい「数字」は、ひと桁ごとに区切り、頭を強くいう。これだけで、噛みにくくなるのと同時に、数字を強調することができます。

聴衆の「心に訴えかける」ためには、「**間**(ま)」を有効に使いましょう。

「私は(3秒の間)この会社を(3秒の間)もっと大きくしたい(10秒の間)力を貸してください！」

ある企業の社長が、全社員に向けて話したスピーチです。正直、話の内容自体は、特別なものではありません。しかし、やりすぎにも思えるぐらいの間を取ったおかげで、社員たちの心がグッと惹きつけられ、涙ぐむ人もいたほどです。私もその場で拝見したのですが、「さすが！」と感心しました。

間を取って話すのが苦手な人は、「すみません、いったん水を飲ませてください」と、強制的に間をつくるのもいいでしょう。あえて話をやめて数秒の静寂をつくることで、聴衆の耳と心をあらためてこちらに集中させるのです。

そして、聴衆を飽きさせずに「ドキドキ、ワクワク」させるのは、声の強弱やテンポの変化、つまり「**抑揚**」です。

子どもに読み聞かせをするお母さんは、普段の会話ではありえないほどの抑揚をつけて話をします。それによって、子どもの目がキラキラと輝き、話の世界に没入するのを知っているからです。

勘がいい人ならお気づきかと思いますが、**プレゼンを成功させる3つの声のテクニックは、この本のトレーニングに網羅されていることばかりです。**

それぞれのビジネスの現場で、どのように活用できるかをイメージしながら行えば、トレーニングの効果はさらにアップするでしょう！

ビジネスのピンチを乗り切る6つの「声テク」

朝イチの会議を乗り切る「喉のストレッチ」

普段はよく通る声をしている人でも、朝イチの会議やプレゼンで思ったように声が出ず、苦労することがあります。

「起床直後ならともかく、2時間はたっているから問題ない」

そう考えたのかもしれません。しかし、起きてから家を出るまで、そして通勤中にも喉は動いていません。出社してすぐの喉は半分寝ているも同然です。

朝イチにプレゼンがあるときは、家を出る前に、簡単な喉の準備運動をしておくことを強くおすすめします。 忙しい朝に長い時間は取らせません。たった1分。これだけで、声の調子はバッチリ。普段の実力さえ出せれば、会議やプレゼンの結果も上々でしょう。

「消防車サイレン」で喉のウォーミングアップ！

① 消防車のサイレンを思い出し、低い音から「ア～～～」と発声。ゆっくり音程を上げる

② 5秒かけていちばん高い音まで発声したら、5秒かけて「ア～～～」と元の低い音まで戻る

消防車のサイレンは「ウ～」のイメージですが、ここでは喉が開きやすい「ア～」で発声。低い音から高い音まで発声するのが、このエクササイズのポイント。低音と高音では、動いている筋肉や声帯の震えている場所が違うため、まんべんなくウォーミングアップできるのです。低音から5秒かけて高音に、5秒かけて低音まで戻る。10秒ワンセットを1分間に6回。息継ぎは適宜入れて構いません。

緊張を緩和する「深呼吸ルーティーン」

「緊張を楽しむことができたら、その人は強いですよ」

ミスタージャイアンツこと、長嶋茂雄さんの言葉です。

この感覚は多くのトップアスリートに共通するもののようです。

緊張すると体の筋肉がこわばり、本来の動きができなくなる。これは、「声」にも通じる部分があります。緊張で肩や胸の筋肉に余計な力が入ると、胸式寄りの浅い呼吸になりやすいのです。

緊張時でも深い腹式呼吸を維持するためには、どうすればいいか？

実はそんなときこそ、**意識して深く呼吸をすることが重要です。**

「簡単にできるのは、椅子に座ったままで、頭のなかで呼吸の数を数えながら、意識的に吐く息を長くする呼吸をすることです。**緊張したときやカッとしたときなどは、大きく息を吐き出して、深呼吸をすると落ち着くものです。**これは、しばらく呼吸に意識を集中するとセロトニン神経が活性化され、気分が安定するためです。
とくに集中した状態で五分以上続ければより効果的です」（太字は引用者）

脳生理学の権威で、医師の有田秀穂先生の著書『「脳の疲れ」がとれる生活術　癒しホルモン「オキシトシン」の秘密』（PHP文庫）にある一節です。

セロトニンとは、脳内の神経伝達物質のひとつで、「緊張、不安、恐怖」などを感じると分泌され、それらを和らげる働きをしてくれます。このセロトニンの分泌を促すのが、有田先生の著書にもあるように「深呼吸」なのです。

つまり、意識して深い呼吸をすると、セロトニンの働きで緊張が和らぎ、体の筋肉がこわばるのを防いでくれる。その結果、腹式の深い呼吸を維持しやすくなるということ。

有田先生の「意識的に吐く息を長くする」という言葉の通り、深呼吸をするとき、吸うことはさほど意識する必要はありません。お腹に軽く手を当て、ちゃんとへこんでいるのを確認しながら、深く吐き切ることだけを意識すれば、空気は勝手に肺のなかに入ってきます。

大勢の前で話すときなど、緊張しやすい場面では、5分程度の深呼吸。このルーティーンを決めておけば、過度な緊張をせず、声の調子を崩すこともないでしょう。

「接客7大用語」をマニュアル化する

残念ながら、日本では「声」の重要性がまだまだ認知されていません。接客業ですら「いい声」を使っていないことが多く、**「経費はかからず、売り上げや評判に直結するというのに、なぜ少しも努力をしないのだろう？」**と不思議な気持ちにもなります。

接客業で使用する言葉の数は、一般のビジネスと比べると、それほど多くはありません。定型化されたフレーズが多く、それだけに意識をせず使ってしまうケースも。

とくに使うことが多いフレーズは、留意点をマニュアル化するのもひとつの手です。なぜ「2音目の音程を上げる」のか、「単語の頭で息を吐く」とどんな効果があるのか。そこまでを理解できるようにすれば、定形フレーズ以外でも応用が利くはず。

ここでは、接客業で必ず使用する**「接客7大用語」**のポイントをピックアップ！

①いらっしゃいませ

2音目の「ら」をはっきり高めに発声。聴覚にしっかり届き、明るい印象になる。

②お待たせいたしました

こもりやすい「お」は喉を開いて。謝罪の意がある場合は、心持ちゆっくり丁寧に。

③かしこまりました

丁寧な印象を与えるため、「わかりました」ではなく、「かしこまりました」を使う。

④少々お待ちいただいてもよろしいでしょうか?

単に「お待ちください」では、ぞんざいな印象に。語尾を切って強く発声すると乱暴なトーンになりかねないため、ほんの少し語尾を上げて、柔らかい口調を心がける。

⑤申し訳ございません

つい使いがちな「すみません」はカジュアルすぎるため、接客には不向き。謝罪の意がある際は、腹式の落ち着いたトーンで、ややゆっくり、語尾を飲み込むように。

⑥恐れ入ります

呼びかけや質問の枕詞(まくらことば)として使う際は、相手の注意をこちらの言葉に引きつけるように、頭の「お」に留意。喉をきちんと開け、やや強めに息を吐いて明るいトーンで発声。

⑦ありがとうございます

2音目の「り」を高めに。何より、感謝の気持ちを言葉にしっかり乗せて。

あえてメリハリをつけないほうがいい場面もある

音の高低や強弱、話す速度の変化などによる「メリハリ」はビジネスにさまざまな効果をもたらします。

声のトーンに変化があると、人の聴覚にキャッチされやすく、フレーズごとに分解されて頭に入ってくるため、内容も理解しやすくなります。重要なポイントを強調できるのも大きなメリットです。

テレビショッピングがわかりやすい例です。セールスポイントとなる新機能では声のトーンを上げて驚きを強調し、破格の金額発表の前には最小レベルまで声を落とすことで、耳を集中させて期待感をあおります。

デパートの店内などで行われている実演販売も、声のメリハリによって足を止めさせ、商品に興味を持たせているのがよくわかります。**テレビショッピングも実演販売も、声が売り上げに直結しているのはいうまでもありません。**

場面に応じて、さまざまな「駆け引き」が必要とされるビジネスの現場。ときにはあえてメリハリをつけないほうがいい場合も。

欧米人と比べ、日本人は「ＮＯがいえない」とされています。建前を重視したり、回答を先送りにしたり、ビジネスの現場では、デメリットとなることもたしかにあるでしょう。

ただ一方、日本には「相手の気持ちを察する」ことを重視する文化が根づいており、それを美徳とする風潮があるのも事実。そんななか、スタイルだけ欧米式の「ＹＥＳ！」「ＮＯ！」をマネてビジネスを進めようとすれば、思わぬトラブルも生みかねません。

「断っているのに、相手が受け入れてくれない」

「今後、つきあいを遠慮したい」

誰にでも経験があるでしょう。しかし、**はっきりした言葉でＮＯを突きつけるのは難しい。そんなときは、「メリハリをつけない」という声の裏技も有効です。**抑揚を絶ち、淡々と話すことで、逆に「拒絶」の意思が伝わりやすくなります。

ただ、この話し方を使うと、相手への印象がよくないことも認識しておく必要があります。効果はてきめんですが、使い場所を誤らないようにご注意を。

謝罪の場面は声で乗り切れる

どれほど優秀な人でも、仕事をしている限り避けては通れないのが「謝罪」の場面。明らかに自分側に非があり、全面的に謝罪する場合、工夫できることは多くありません。というより、工夫することが逆効果になりかねないのです。

とくに頭のいい人は要注意。謝罪の気持ちを理路整然と伝えがちで、相手には「妙に堂々としている」「あらかじめ用意した言葉を並べている」ように見えてしまうことも。**早口で話さない、語尾を強くしない、言葉を並べすぎない**などに注意し、「申し訳ない」という思いを素直に伝えたほうが、事態を悪化させない場合が多いようです。

こじれやすいのは、謝る側にも「言い分」がある場合。あるいは謝ること自体が「不本意」と感じているときです。その気持ちを表に出し、火に油を注ぐのは賢明とはいえません。個人の思いだけで済むならまだしも、謝罪トラブルがこじれると、会社全体へと「延焼」しやすいからです。一度謝罪すると決めたなら、**最小限のダメージで鎮火させる**のが本当にできるビジネスパーソンです。

とくに難しいのが電話での謝罪。「頭を下げる」「沈痛な表情をする」といったアクションを見るだけで、謝罪の意を酌んでくれる人は少なくありません。しかし電話ではそれらがまったく伝わらない。声と言葉だけで、不信を抱く相手の気持ちを静めるのは簡単ではありません。

まず、**語尾を強くするのは厳禁**。しっかり謝ろうとしているつもりでも、「偉そう」「反抗的」に聞こえやすくなります。語尾は不本意な気持ちと一緒に飲み込み、消え入るように小さくしていく感覚で。

こちらから謝罪を伝えるだけでなく、相手の話にしっかり耳を傾けることも重要です。**聞いている間は、「ええ」「わかります」など、言葉を遮らず先に進めるあいづちも不可欠。**相手の話を聞き切るつもりでいれば、自然にいいあいづちも出てくるはず。

これは私見ですが、女性より男性のほうが謝罪はうまくないように感じます。「プライドの生き物」ともいわれる男性は自尊心が謝罪の邪魔をしていませんか？

謝罪をする、しないに自尊心を投影するより、**「最良の仕事をする」ことにこそプライドを持てば、謝罪という難局もうまく乗り切れるかもしれませんね。**

部下を成長させる「理想の上司」の声

部下を持つ立場になって、職場での声の重要性を認識する人は少なくありません。知識や経験が足りない者を教育し、会社にとって有益な人材に成長させる。みずからが現場で業務をこなすのとは、まったく違う技術が求められるということなのでしょう。

人材育成面での上司の主な役割は、**「叱る」「ほめる」「励ます」「諭す」**という4つの場面に集約されます。そして、それぞれに適した声や話し方があり、部下を伸ばしたいのなら、巧みに使い分ける必要があります。

部下を育てる声の基本も、そのほかのビジネスシーンと同じ。「相手の立場に立つ」ことが大切です。自分が新人だったころを思い出し、「どのような叱責がやる気を失わせるか」「どういったほめられ方なら、いっそうがんばれるか」などを想像すれば、適した声もおのずと見つかるはず。

たとえば、前述の4つの場面には、次のような声や話し方が考えられます。もちろん、あくまでも「基本」ですので、それぞれの環境に合わせてアレンジしてみてください！

①叱る

腹式呼吸を使った低めの声で、なるべく短く簡潔に。ただし、低い声のままで終わらせず、最後は声のトーンを上げて締める。叱る者の声が上向くと、部下の気持ちも前を向きやすい。相手の成長を促す「叱る」と、自分の感情を爆発させる「怒る」を混同しない。

②ほめる

口角を上げて、明るい声で。驚きを持ってほめるときは、「すごいじゃないか」と2音目を高くする。その上げ幅が大きいほど、感心している気持ちが伝わりやすい。

③励ます

落ち込む部下の気持ちに寄り添って励ましたい場面では、あえて吐く息の量を減らし、声のボリュームを落とす。早口は適当に励ましている印象になりやすいため禁物。

④諭す

不満を抱く部下を納得させるには、まず言い分をきちんと聞く。ただし、曖昧な表現や「気持ちはわかるが」といった中途半端な懐柔は、モヤモヤした気持ちを残しやすいのでNG。迷いのない明確な言葉を使い、やや低めの声ではっきり最後まで言い切る。

Column 5

いい声と健康を保つ「喉ケア」もビジネスパーソンの常識

どんな職業でも、体調を崩した状態でベストなパフォーマンスは望めません。同じように、もともとの喉の調子が悪ければ、せっかくの声のスキルも生かしようがありません。**常にいい声を出せる状態にしておく**ため、そして、不用意な体調不良を防ぐためにも、次の「喉ケア10か条」を常日ごろから心がけるようにしましょう。

①うがい、手洗いを徹底する

万病のもとである風邪をはじめ、あらゆる感染症の予防は、帰宅直後のうがい、手洗いから。

②マスクを着用する

感染症予防だけでなく喉の潤いを保つためにも有効。乾燥しやすい季節には就寝時にも。

③部屋に加湿器を置く

ホテルに加湿器がない場合は、濡れたタオルをベッドの近くに干しておくだけでもＯＫ。

④温かい飲み物を飲む

喉を温めてくれるのと同時に、蒸気が潤いをプラス。冷たい飲み物はほどほどに。

⑤首を冷やさない

マフラーやタオルなどを巻き、冬は冷たい外気で、夏場は冷房で首が冷えるのを防ぐ。

⑥鼻呼吸をする

口呼吸は、乾燥した空気が直接喉に当たる。いびきも誘引し、さらに喉のダメージに。

⑦咳払い癖を直す

咳は喉に大きな負担をかける。咳払いの癖は直し、いがらっぽいときは、のど飴をなめる。

⑧夜ふかしは控える

夜ふかしや長時間の飲み会は喉を痛める原因に。体同様、喉も休養させることが大事。

⑨タバコを吸わない

煙や熱で喉が痛み、たんも絡みやすくなるため、咳払いが癖に。吐く息の量も減少する。

⑩耳鼻咽喉科で定期健診

行きつけの耳鼻咽喉科をつくり、調子が悪いときはもちろん、予防目的の定期健診も。

おわりに
「いい声」を最大限に活用するために大切なこと

この本では「声」の力をビジネスに生かし、「年収をアップさせる」という、かなり現実的な目標に向けて、考え方のベースやトレーニング法、すぐに使える実践テクニックの数々を紹介してきました。

その最後に、レクチャーの総括として、この言葉をみなさんにお届けするのは、ある意味で無責任に聞こえてしまうかもしれません。

しかし、**「年収アップ」という最終ゴールに達するためには非常に重要なこと**なので、あえて「声」を大にしていわせてもらいます。

声だけで、できるビジネスパーソンにはなれません！

いわゆる「ちゃぶ台返し」をするつもりはまったくありません。これまでに4万人近いビジネスパーソンと接し、「超一流」といわれる人たちの仕事ぶりを見てきた私の強い実感なのです。

私のボイトレスクール「ビジヴォ」を訪れる人たちは、決して仕事ができないタイプではありません。自分の能力をいま以上に向上させる武器として、欧米では当たり前のように重視されている「声」に着眼し、アクションを起こした人たちです。仕事に対する熱意があり、実力が伴っているのは、もはやいうまでもないこと。

そんな彼らに接していて、**「声と一緒に磨いたら、さらにいい仕事ができるはずなのに」と感じたのは「笑顔」です。**

シャイな性格のせいもあって、笑顔をつくるのが苦手。あるいは笑顔を見せているつもりでも、明らかに足りていない。こういった点を自覚し、直そうと努力している人がとても少ないように感じました。

ビジネスシーンに限らず、人と人とのあらゆるコミュニケーションを円滑にするツールとして、声と笑顔には、大きな共通点があります。

それは、**「相手の立場に立って、イマジネーションを働かせる」**という思考のアクションが、何より重要だという点です。

無理に声を高くしても、口角をつり上げても、そこに「相手の立場になる」という「心」や「意識」が乗っていなければ、わざとらしいものになり、不快感すら与えかねません。

逆にいうなら、相手の立場になりさえすれば、ふさわしい声や表情を届けるのは、さほど難しくはないということでもあります。

私は**声のトレーニングをする前に、自分の声を録音して聞いてみることをすすめています**が、同時に、鏡を手にしてどのような表情で自分が話をしているのか、あらためて見直してみるといいかもしれませんね。

口角は自然に上がっていますか？　暗い印象になってはいませんか？

笑顔は声を、声は笑顔を、互いに作用して、より好意的な印象にします。

そしてその先には、よりよいビジネスコミュニケーションと、みなさんが望む「最終ゴール」が待っているはず。私も大いに期待しています！

「声が変わると人生が変わる！」。通らない声、滑舌の悪い声も必ず変わります。みなさんの人生がますます輝きますように！

秋竹朋子

参考文献

『たるみが消える顔筋リフト　宝田流表情筋トレーニング』宝田恭子、講談社
『「脳の疲れ」がとれる生活術　癒しホルモン「オキシトシン」の秘密』有田秀穂、ＰＨＰ文庫
『ビジネスがうまくいく発声法　よく通る声、伝わる声に5秒で変わる！』秋竹朋子、日本実業出版社
『「話し方」に自信がもてる　１分間声トレ』秋竹朋子、ダイヤモンド社
『声を変えるだけで仕事がうまくいく』秋竹朋子、マイナビ出版
『秋竹朋子の声トレ！　一瞬で魅了する「モテ声」と「話し方」のレッスン』秋竹朋子、ワニブックス

特別付録

秋竹朋子が実演！ 動画でわかる「声トレ」

本書の読者への特典として、私が実演する「声トレ」の模様を動画で見ることができます。

Ⓐ**声がよく通る姿勢を保つ（62ページ）**
https://youtu.be/iE8OyxSgl7A

Ⓑ**リラックスして首、肩をほぐす（64ページ）**
https://youtu.be/arPvTSQIf4A

Ⓒ**1日1分「呼吸」の声トレ①**
手のひらに「はぁ～っ」と息を吹きかける（80ページ）
https://youtu.be/CkktKRJRGp0

Ⓓ1日1分「呼吸」の声トレ⑦
声を安定させる「シー」（92ページ）
https://youtu.be/0GPzLqEcUaY

Ⓔ1日1分「発声」の声トレ②
声を美しく響かせる「マーライオン発声法」（168ページ）
https://youtu.be/UkYPWvCfwqw

Ⓕ1日1分「発声」の声トレ⑨
キレのいい「大雨&強風法」で喉を鍛える（182ページ）
https://youtu.be/RawELYMhZSM

このページでご紹介した動画は、株式会社エデュビジョン「ビジヴォ」が制作したものです。お問い合わせは同社までお願いいたします。清談社Publico編集部ではお問い合わせにはお答えいたしかねますので、ご注意ください。また、動画は予告なく終了することがあります。あらかじめご了承ください。

■「ビジヴォ」ホームページ
http://www.businessvoice.jp

本書は、2021年8月に弊社より刊行された同名の本の新装版です。

年収の9割は声で決まる！　新装版
なぜ、「一流の人」は、みんな「いい声」をしているのか？

2024年6月12日　第1刷発行

著　者　秋竹朋子

装幀・扉デザイン　井上新八
本文デザイン　サカヨリトモヒコ
イラスト　ノグチノブコ
構　成　萩野章彦
編　集　山中千絵

発行人　岡﨑雅史
発行所　株式会社 清談社Publico
〒102-0073
東京都千代田区九段北1-2-2 グランドメゾン九段803
TEL:03-6265-6185　FAX:03-6265-6186

印刷所　中央精版印刷株式会社

©Tomoko Akitake 2024, Printed in Japan
ISBN 978-4-909979-64-3 C0030

本書の全部または一部を無断で複写することは著作権法上での例外を除き、
禁じられています。乱丁・落丁本はお取り替えいたします。
定価はカバーに表示しています。

清談社
Publico

https://seidansha.com/publico
X @seidansha_p
Facebook https://www.facebook.com/seidansha.publico